Autopersuasão

Dados Internacionais de Catalogação na Publicação (CIP)
(Câmara Brasileira do Livro, SP, Brasil)

Grün, Anselm
Autopersuasão : como lidar com nossos pensamentos / Anselm Grün ; tradução de Markus A. Hediger. – Petrópolis, RJ : Vozes, 2016.

Título original : Einreden : der Umgang mit den Gedanken

Bibliografia

3ª reimpressão, 2023.

ISBN 978-85-326-5281-2

1. Espiritualidade 2. Persuasão (Psicologia) 3. Vida monástica e religiosa – Psicologia I. Título.

16-04148   CDD-248.4

Índices para catálogo sistemático:
1. Pensamentos : Espiritualidade : Cristianismo
248.4

Anselm Grün

Autopersuasão

Como lidar com
nossos pensamentos

Tradução de
Markus A. Hediger

EDITORA
VOZES

Petrópolis

© 1983, by Vier-Türme GmbH-Verlag, Münsterschwarzach

Tradução do original em alemão intitulado *Einreden – Der Umgang mit den Gedanken*

Direitos de publicação em língua portuguesa – Brasil:
2016, Editora Vozes Ltda.
Rua Frei Luís, 100
25689-900 Petrópolis, RJ
www.vozes.com.br
Brasil

Todos os direitos reservados. Nenhuma parte desta obra poderá ser reproduzida ou transmitida por qualquer forma e/ou quaisquer meios (eletrônico ou mecânico, incluindo fotocópia e gravação) ou arquivada em qualquer sistema ou banco de dados sem permissão escrita da editora.

CONSELHO EDITORIAL
Diretor
Volney J. Berkenbrock

Editores
Aline dos Santos Carneiro
Edrian Josué Pasini
Marilac Loraine Oleniki
Welder Lancieri Marchini

Conselheiros
Elói Dionísio Piva
Francisco Morás
Gilberto Gonçalves Garcia
Ludovico Garmus
Teobaldo Heidemann

Secretário executivo
Leonardo A.R.T. dos Santos

Editoração: Gleisse Dias dos Reis Chies
Diagramação: Sandra Bretz
Capa: Idée Arte e Comunicação
Ilustração de capa: © &#169 Andreas Kaspar | iStock

ISBN 978-85-326-5281-2 (Brasil)
ISBN 978-3-89680-166-3 (Alemanha)

Este livro foi composto e impresso pela Editora Vozes Ltda.

Sumário

Introdução, 7

1 A importância dos pensamentos na vida monástica da Antiguidade, 13
2 Autopersuasão negativa, 19
3 Afirmações positivas, 31
4 A autopersuasão na psicologia, 49
5 Métodos para lidar com os pensamentos, 59
6 Crer – Fazer de conta, 73

Introdução

Algum tempo atrás uma irmã que trabalha num centro de reabilitação para pessoas com doenças mentais contou-me sobre um paciente. Era um homem jovem, inteligente e de boa aparência. Mas ele não fazia qualquer progresso. Todas as tentativas de trabalhar com ele, seja por meio de terapia ocupacional, terapia de música ou qualquer outra coisa, sempre esbarravam nas mesmas duas frases: "Eu não sei fazer isso. Isso não adianta". Por fim, o médico lhe disse numa conversa: "Suas palavras são sua vida. Suas palavras são sua doença". A autopersuasão negativa causou a doença desse homem jovem. Ela se cravou em seu íntimo, de forma que agora o impede de permitir sua cura. Enquanto ele se agarrar a essas palavras, ele nunca recuperará a sua saúde.

Para mim, a história desse paciente lançou uma nova luz sobre as experiências dos antigos monges com o efeito dos pensamentos sobre a saúde ou doença de uma pessoa. Evágrio Pôntico (falecido em 399) escreveu um livro com mais de 600 autopersuasões negativas que podem nos deixar doentes. Ele o chama de *Antirrheticus* (= coleção de contrapalavras)[1]. Nesse livro, ele contrapõe às expressões negativas as orações da Escritura Sagrada, para expulsar e vencer os pensamentos nocivos. A ocupação com Evágrio me sensibilizou a prestar atenção em mim mesmo ao efeito de pensamentos negativos. E em confissões descobri que as autopersuasões negativas são as causas de dificuldades de muitas pessoas em seu dia a dia, de seus problemas com o próximo, com o trabalho, com seus sentimentos e humores. Quando nos observamos atentamente, descobrimos que vivemos recitando determinadas frases e que, em determinadas situações, passam automaticamente por nossa cabeça, reagindo assim a infortúnios, aos próximos e às exigências no trabalho: "Isso é difícil demais para mim, eu não consigo fazer isso", "Ah, não, lá vem esse cara de novo", "Isso só acontece comigo". Muitas vezes, porém, reagimos também com autopersuasões positivas: "Não tem problema. Isso passará". Em situações assim, muitos se lembram de provérbios, que lhes ajudam a lidar com situações difíceis. Nosso antigo abade Burkard Utz reagia a qualquer situação com a expressão: "O que estiver no meu prato, eu como". Esse era o seu jeito de reagir aos desafios do dia a dia – certamente, um método melhor do que se resignar e se convencer de que não será capaz de vencê-los.

As experiências dos antigos monges com a autopersuasão me incentivaram a aproveitar os cursos com jovens para perguntá-los que tipo de autoper-

---

[1] PONTICUS, E. *Antirrhetikon*. Berlim, 1912 [Org. de W. Frankenberg].

suasões eles usavam. Apresento alguns exemplos daquilo que os jovens anotaram. Como autopersuasões negativas, eles citaram:

> Já está na hora de levantar? Não estou a fim. Estou tão cansado. Que tempo chato hoje. E lá vem o estresse de novo. Não dormi o bastante. Trabalho chato. Queria que o trabalho já tivesse terminado. Ninguém gosta de mim. Por que preciso estar sempre sozinho? Por que preciso fazer tudo sozinho? Por que não tenho mais amigos? Por que dificultam tudo para mim? Por que sempre eu e nunca os outros? Por que não me dão nada de graça, nada? Tenho medo. Não consigo fazer isso. Não aguento mais. Sou inseguro e desastrado. Sinto-me tão vazio. Isso não faz sentido. Nunca vou aprender isso. Que burrice. Você é um idiota. Por que justo agora? Por que justo você? Teria sido melhor não ter feito aquilo. Comi demais de novo. Não tenho tempo para mim mesmo. Tudo me irrita. Você não consegue se controlar. Fracassei de novo. Os outros são muito melhores do que eu. Ah não, essa matéria não, esse professor não. Queria que a escola terminasse logo. Como fui burro. Não estou a fim. Isso é necessário? Deixem-me em paz. Estou estressado demais. Não quero saber de nada agora. Que dia ruim. Acho que estou ficando louco. Você é um idiota. Qual o sentido disso tudo? É tudo mentira. Queria estar morto.

Afirmações negativas desse tipo surgem inconscientemente o tempo todo. Elas nos paralisam, sugam nossa energia e nos mantêm presos num clima negativo. Muitas vezes, elas nos adoecem. Elas não nos soltam. São como um padrão com o qual reagimos automaticamente aos eventos do nosso dia a dia.

Mas os jovens anotaram também uma série de afirmações positivas. Em parte, é uma questão de temperamento, muitas vezes, porém, uma questão da atitude fundamental que assumimos diante da vida, determinando assim se costumamos reagir com afirmações positivas ou negativas:

> Encontraremos um jeito. O mundo não acaba por causa disso. Tudo passa. Amanhã será outro dia. Tudo tem seu sentido. Vamos ver no que dá. *Let it be. Take it easy.* Mãos na massa. Vai dar certo. Tudo vai ficar bem. Não seja tão pessimista. O sol sempre volta a brilhar. Encontro Deus em cada pessoa. Deus me ama do jeito que sou. Vamos com calma. Tudo bem. Da próxima vez, faremos melhor. Ao ataque! Você consegue.

E, de vez em quando, os jovens encontram algum provérbio popular que lhes ajuda a prosseguir:

> Onde há uma vontade, há um caminho. A prática faz o mestre. O que não nos mata, nos fortalece. Todo início é difícil. Depois da chuva vem o sol. Nenhum mestre caiu do céu. Não deixe para amanhã o que você pode resolver hoje. Tenha sol no coração. Um passo por vez.

Os jovens mencionaram também algumas orações, das quais alguns se lembram ao longo do dia e que lhes ajudam a superar situações difíceis:

> Senhor, por favor, não me abandones. Senhor, ajuda-me. Senhor, eu não aguento mais, peço que agora continues em meu lugar. Dá-me forças. Não me deixe sozinho. Deus amado, ajuda-me. Obrigado por este dia. Obrigado por este momento. Abençoa a conversa que terei. Mostra-me o caminho certo. Dá-me paciência para...

Muitos encontraram ajuda também em versículos dos Salmos ou em orações próprias:

> O Senhor é a minha luz e a minha salvação. O Senhor é o meu pastor, nada me faltará. Em Deus minha alma se acalma. Meu tempo está em tuas mãos. Ainda que eu ande por um vale de espessas trevas, não temo mal algum, porque Tu estás comigo. Somente a ti, Pai, desejo servir. Deus, Tu és meu amigo. Tu interages comigo e me aceitas como sou. Não oculta tua face diante de mim, Senhor.

Não podemos ignorar a importância das frases que dizemos a nós mesmos. Algumas nos paralisam, alimentam nosso mau humor, nossa raiva, nossa autocompaixão. Outras nos dão força, coragem, impulso, a disposição para encarar coisas difíceis. Conversando uns com os outros, muitos jovens reconheceram o quanto eles se deixavam dominar por afirmações negativas e como seria importante substituí-las por afirmações positivas. Pois nenhuma força de vontade consegue nos mudar se cedermos muito espaço aos pensamentos negativos. Precisamos chegar à raiz dos nossos humores. E nela encontraremos nossas autopersuasões. Todas as nossas posturas interiores, nossa inveja, nossa irritação, nossa autocompaixão, nossos medos, nossa raiva, nossa alegria, nossa paciência, nossa satisfação, nosso amor – todos eles se expressam em formulações que nós recitamos a nós mesmos. A estrutura do nosso espírito formula tudo também em termos linguísticos. Nós não nos irritamos apenas, a nossa irritação também se expressa em alguma frase, que nos conscientiza de nossa postura interior. E quando mudamos essas frases, exercemos também uma influência sobre a nossa postura interior. Por isso, é importante ocupar-se com as frases que se formulam dentro de nós e assim exercem um efeito imenso sobre a nossa postura, o nosso humor, o nosso pensamento, o nosso sentimento e nossa conduta. Para tanto, estudaremos os monges antigos. Como eles lidaram com seus pensamentos? Quais os conselhos que eles deram para reagir a afirmações negativas? E quais foram os métodos que eles desenvolveram para gerar em nós o tipo de pensamentos que nos curam, que nos abrem para Deus e que nos guiam até a nossa essência verdadeira?

1
A importância dos pensamentos na vida monástica da Antiguidade

Para os monges antigos, o caminho para Deus significa a busca pela pureza do coração, por uma vida na presença de Deus, marcada por um pensamento constantemente voltado para Deus e por um amor que se agrada apenas com Deus e nele encontra a paz. Nesse caminho, porém, os monges se deparam com o obstáculo dos pensamentos, que os impedem de pensar em Deus e de se abrir para Deus. E eles vivenciam seu caminho para Deus como conflito com os pensamentos, como luta contra os pensamentos negativos e como busca constante de pensamentos positivos, que os ligam a Deus.

Não se chega a Deus por meio de obras externas, não por meio de grandes esforços ascéticos, mas apenas quando os pensamentos e sentimentos se tornam puros, ou seja, quando esses estão em harmonia com o pensamento e sentimento de Deus. E assim, somos forçados a nos ocupar durante a vida toda com aqueles pensamentos que procuram nos levar na direção oposta. Assim como Jesus foi tentado por satanás, que tentou convencê-lo de determinadas coisas, os demônios também nos tentam, provocando determinados pensamentos e procurando gerar em nós uma postura errada em relação a Deus e aos seres humanos por meio dos pensamentos.

Nossos pensamentos determinam se vivemos segundo o Espírito de Deus ou em oposição a Ele. Os pensamentos definem nossa postura. Pensamentos bons nos transformam em pessoas boas; pensamentos ruins, porém, nos transformam em pessoas más. Nós agimos de acordo com aquilo que somos. Por isso, se quisermos agir segundo a vontade de Deus, precisamos partir de nossos pensamentos e fazê-los corresponder ao seu Espírito. Então, agiremos de acordo com eles.

João Cassiano, o escritor mais importante dos primeiros monges ocidentais, explica o fato de os pensamentos terem um efeito tão grande sobre nós com a noção de que os pensamentos transformam o espírito do homem naquilo que ele lhes oferece. O conteúdo dos pensamentos determina a qualidade do espírito humano e decide se um ser humano se torna bom ou mau.

> Necessariamente um espírito, que nada tem ao que recorrer e ao que seguir, se transforma a cada hora e a cada instante segundo a alteridade daquilo que se apresenta a ele e, por meio daquilo que ocorre externamente, é transformado imediatamente naquilo que se apresenta a ele[2].

---

2 CASSIANUS, J. *Unterredungen mit den Vätern*. Kempten, 1879, 1,5 [Trad. de K. Kohlhund].

Quando o espírito não tem um alvo que ele procura alcançar, fica exposto a todo tipo de pensamentos. Ele se expõe àquilo que o inunda de fora; é controlado por algo exterior a ele. Não é ele quem vive, ele é vivido por algo externo. O espírito sempre pensa em algo. Se não lhe dissermos o que deve pensar, se ocupará com aquilo que se apresenta a ele. Isso, porém, é tão multiforme e diverso que o impede de se concentrar em si mesmo, distraindo-o e dilacerando-o internamente. Ele não possui mais um ponto a partir do qual ele seleciona e avalia as influências externas, antes é controlado e dominado por aquilo que vê. Como remédio contra esse perigo do dilaceramento interior, Cassiano sugere a ocupação consciente com a Palavra de Deus. Assim, somos preenchidos com o Espírito contido na palavra da Escritura:

> Cabe, em grande parte, a nós mesmos melhorar a constituição dos pensamentos e a decidir se nos nossos corações cresçam os pensamentos santos e espirituais ou os pensamentos terrenos e carnais. Por isso, aplicamos a leitura frequente e a meditação sobre as Escrituras Sagradas, para que assim tenhamos a oportunidade de preencher a memória com conteúdo espiritual. Daí a recitação frequente de salmos, para que assim pratiquemos uma contrição constante. Daí o zelo aplicado à vigília, ao jejum e à oração, para que o espírito sóbrio não se agrade com o terreno, mas contemple o celestial[3].

Evidentemente, Cassiano acredita que o espírito se transforma necessariamente naquilo com que ele se

---
3 Ibid., 1,17.

ocupa. Ele não pode fugir a esse efeito. Isso não está em nosso poder. Cabe ao espírito somente decidir com o que deseja se ocupar. Por isso, a seleção dos pensamentos, que nos inundam a cada momento, é uma das tarefas principais da vida espiritual. Não podemos nos queixar do fato de que nos sentimos mal, de que nos entregamos a depressões e de que vivemos em medo constante se nos dissermos o tempo todo coisas como: "Não consigo fazer isso", "Não estou com vontade", "Estou com medo". Por meio de afirmações como essas, geramos em nós o medo e o mau humor. No mínimo, essas afirmações confirmam e solidificam esse humor. Mas se nos ocuparmos com palavras da Escritura Sagrada e as recitarmos, podemos mudar nosso humor de forma positiva. Somos preenchidos pelo Espírito que vem ao nosso encontro nas palavras da Escritura. Quando nossos pensamentos estão ocupados com a Palavra de Deus, então, afirma Cassiano, nos transformamos em Palavra de Deus. Na ocupação com a Palavra de Deus ocorre em nós uma encarnação.

Esse conceito de Cassiano parece simples demais, como se nós fôssemos capazes de determinar o nosso humor por meio da seleção de nossos pensamentos, como se pudéssemos resolver todos os nossos problemas por meio da ocupação com a Palavra de Deus. Nossos conhecimentos psicológicos refutam isso. Os medos estão tão arraigados em nós que não podem simplesmente ser expulsos por meio da recitação de palavras da Escritura. E depressões também não são curadas simplesmente por meio de versos de algum salmo. Mas não há dúvida de que podemos exercer pelo menos em parte uma influência positiva ou negativa por meio da escolha dos nossos pensamentos. As experiências dos monges com seus pensamentos nos mostrarão ainda outros métodos com a ajuda dos quais podemos reagir a pensamentos negativos. Por ora, basta dizer que os pensamentos exercem uma influência considerável sobre nosso espírito, nossa postura interior e nossas ações. Ascese significa para os monges antigos principalmente uma luta com os pensamentos, um confronto com os pensamentos negativos e a busca por pensamentos que correspondam ao Espírito de Deus. Sem essa luta com os pensamentos ninguém alcança a pureza do coração, o objetivo da ascese monástica[4].

---

4 Cf. GRÜN, A. *Reinheit des Herzens* – Wege der Göttersuche im alten Mönchtum. Frankfurt, 1978.

2
Autopersuasão negativa

Segundo os monges, os pensamentos se expressam em quaisquer afirmações que nos incitam a algo ou que nos levam a algum julgamento sobre uma pessoa ou a nossa situação. A maioria dos pensamentos pode ser expressa em palavras. Essas nos influenciam na forma de autopersuasões que encontramos em nossas mentes. Sem querer, ouvimos determinadas palavras dentro de nós tentando nos coagir a algo. Quero citar alguns exemplos dos *Apophthegmata Patrum*, uma coleção de provérbios dos Padres dos séculos IV e V:

> Meus pensamentos me torturam, dizendo-me: Você não consegue jejuar nem trabalhar, então visite pelo menos os doentes; pois isso também é amor (Apo 49)[5].

> Um irmão perguntou ao Abba Poimen: "Meus pensamentos me inquietam, dizem-me que não deva me preocupar com meus pecados e me incitam a ver as falhas em meu irmão" (Apo 192).

---

[5] A sigla "Apo" seguida por um número indica o apotegma na edição MILLER, B. *Apophthegmata patrum* – Weisung der Väter. Friburgo, 1965.

As tentações sempre se manifestam em pensamentos. Assim, ao sentar-se à beira de um campo de pepino para descansar de sua caminhada, veio ao Padre Zenão o pensamento:

> Pegue um pepino e coma! Quem sentirá falta de um pepino! (Apo 240).

Muitas vezes os pensamentos se apresentam como ordens internas. E muitas vezes esses pensamentos nos levam na direção errada. Ou eles interpretam a realidade de forma equivocada e nos levam a uma visão errada sobre nós mesmos e nosso mundo. Assim, o Padre Isidoro fica ouvindo constantemente de seus pensamentos: "Tu és um grande monge" (Apo 362). Eles causam nele orgulho, a arrogância diante dos outros e uma exaltação diante de Deus. Mas para os monges antigos, isso é um vício, uma postura errada.

Em seu grande livro sobre as autopersuasões (*Antirrheticus*), Evágrio Pôntico atribui os pensamentos negativos aos oito vícios, que nos separam de Deus e nos submetem ao domínio dos demônios. Já tratamos da Doutrina dos Oito Vícios em outro livro[6]. Aqui, basta analisá-los apenas em relação às suas afirmações negativas. Cada vício conhece suas próprias autopersuasões, por meio das quais ele chama nossa atenção e gera em nós uma postura errada. Se dermos espaço demais a essas afirmações, o vício se apodera de nós e nos separa de Deus. Na concep-

---

6 GRÜN, A. *Der Umgang mit dem Bösen* – Der Dämonenkampf im alten Mönchtum, Münsterschwarzacher Kleinschriften. Vol. 6. 11. ed. Münsterschwarzach, 2001.

ção dos monges antigos, isso nos entrega ao domínio dos demônios.

Os três primeiros vícios – gula, luxúria e avareza – correspondem aos três instintos humanos básicos: o desejo de riqueza, prazer e poder, de reconhecimento e aceitação. Eles se manifestam em afirmações como: "Preciso disso de qualquer jeito", "Quero ter isso", "Por que abrir mão? É um direito meu". Depende do desenvolvimento de cada um em que medida a satisfação do impulso passa por esse tipo de afirmações e pensamentos. Existem certamente muitos que, assim que se conscientizam desse impulso, satisfazem o seu desejo sem a mediação de quaisquer pensamentos. Eles simplesmente comem quando veem comida, entregam-se aos seus desejos sexuais e sentem em si uma coerção de comprar determinadas coisas sem refletir sobre isso. Mas normalmente os impulsos se manifestam na forma de ordens internas, que nos instruem a satisfazer nossa necessidade. Muitas vezes, os impulsos se disfarçam com razões aparentemente sensatas. Pois seria simplesmente primitivo demais entregar-se aos seus impulsos. Nós acreditamos ter superado essa fase de desenvolvimento. E assim, nossos pensamentos nos convencem da vantagem que teríamos se possuíssemos determinadas coisas, como isso faria bem à nossa realização própria, como isso nos ajudaria a ajudar aos outros.

Alguns exemplos do *Antirrheticus* nos mostram, segundo Evágrio, as afirmações que podem ser geradas pelos três impulsos básicos. Talvez você se reconheça em alguns desses pensamentos.

Para o vício da gula, Evágrio cita estas autopersuasões: "O jejum não lhe ajuda em nada (2)[7]. A comida não basta (8 e 10). Não se desgaste com o jejum. O jejum prejudica sua saúde" (14 e 20). Ou os pensamentos geram medo dizendo que ficaremos doentes se não comermos isso ou aquilo. Eles nos lembram de tudo aquilo que nos causa dor, suscitam uma preocupação exagerada em relação à nossa saúde e tentam nos convencer de que precisamos disso e daquilo para nos proteger de todos os tipos de doenças (26 e 56).

Quando analisamos esses pensamentos, descobrimos que eles não nos são estranhos. Muitas vezes esse tipo de pensamentos cria uma dependência química – seja de álcool ou remédios. Nosso problema certamente não é não termos o suficiente para comer e beber. Mas, às vezes, acreditamos que precisamos desse ou daquele remédio, dessa ou daquela dieta, desse ou daquele chá para não comprometermos nossa saúde. E então descobrimos em nós pensamentos semelhantes àqueles que Evágrio detecta nos monges antigos: pensamentos que só giram em torno do nosso bem-estar físico, que se aproveitam da menor dor física para sugerir que estamos doentes, causando assim preocupações desnecessárias.

Segundo Evágrio, os seguintes pensamentos nos levam ao vício da luxúria: "Você jamais conseguirá lidar com sua sexualidade (1, 4 e 8). É um direito meu satisfazer a minha sexualidade (5). Não adianta

---

[7] Os números a seguir indicam a afirmação mencionada em *Antirrheticus*, de Frankenberg, sob o respectivo vício.

lutar contra o impulso" (28s.). Na maioria das vezes, porém, a luxúria se manifesta em fantasias sexuais, que imaginam a relação com uma mulher (32 e 36). Ou nós tentamos nos convencer de que não faria mal nenhum entreter relações com uma mulher, já que conversaríamos com ela sobre assuntos espirituais (35 e 37). Outro perigo consiste no exagero do poder da sexualidade, acreditando que somos impotentes diante dele (26, 31, 33).

Para Evágrio, as autoacusações que dirigimos contra nós mesmos quando cedemos ao desejo sexual são igualmente perigosas (31). Pois essas autoacusações nos levam de volta a fantasias sexuais. Nelas se expressa apenas o desejo oculto e não admitido de se ocupar constantemente com a coisa ansiada, de se ocupar com fantasias sexuais, mesmo que sob a máscara da condenação. Sob esse pretexto, nós nos permitimos ocupar-nos com aquilo que nos fascina. Não ousamos ceder abertamente ao impulso sexual, por isso, o fazemos na forma de autoacusações. Mas isso não nos leva a lugar algum. Ao contrário, permanecemos fixados em nossa sexualidade. Só consegue lidar com sua sexualidade quem a aceita e se reconcilia com ela. Então, ela pode ser integrada e encontra sua paz. Uma das autopersuasões mais perigosas para Evágrio é o pensamento que nos tenta convencer de que "o demônio da luxúria jamais se afastará de nós" (38). Em vez disso, deveríamos dizer a nós mesmos "que o demônio da luxúria, quando é vencido, se afasta de nós, deixando-nos sóbrios e em paz" (38).

O vício da avareza se manifesta nas seguintes afirmações: "Se você der daquilo que tem, não sobrará o suficiente para você mesmo (9). Você precisa trabalhar mais para garantir o seu futuro" (4, 26, 50). Ou ficamos nos questionando quando damos uma esmola a um mendigo, perguntando-nos se foi correto dar-lhe algo, já que ele poderia fazer mau uso disso (47 e 57). Ou nossos pensamentos não param de girar em torno do dinheiro. Ficamos preocupados, perguntando-nos se o dinheiro basta ou o que poderíamos fazer com ele se tivéssemos mais. E sentimos que jamais basta, que não conseguimos romper o ciclo vicioso do "preciso mais, mais, mais". São os nossos pensamentos que mudam esse ciclo vicioso em nossa consciência. A raiz é mais profunda. Trata-se de um impulso inato, que tem seu direito de ser, para que consigamos viver de forma responsável, mas que, muitas vezes, perde sua medida saudável. Uma avaliação dos pensamentos e das autopersuasões poderia nos mostrar se nosso desejo de posse e de reconhecimento – que estão intimamente entrelaçados – é exagerado e apenas nos causa inquietação e insatisfação.

Nos três seguintes vícios as afirmações negativas exercem um papel ainda muito mais importante, pois resultam de um relacionamento desordenado com nossos sentimentos: tristeza, ira e tibieza. Na tristeza sentimos pena de nós mesmos e giramos em torno de nossos próprios problemas, sem aceitarmos ajuda. No fim das contas, gostamos da nossa tristeza, nós nos agarramos a ela, precisamos dela para não termos que mudar. Da postura errada da tristeza falam afirmações como: "Minha vida é tão difícil", "Ninguém se importa comigo", "Sou um fracassado", "Eu não aguento mais". Ninguém gosta de mim. Tudo dá errado na minha vida. Eu não consigo fazer isso". A causa da tristeza é, muitas vezes, uma expectativa exagerada em relação a si mesmo ou ao seu ambiente. Somos insaciáveis em nosso desejo de sucesso e posse, de atenção e aceitação. Mas quando os desejos exagerados não são satisfeitos, nós nos escondemos magoados, feridos e frustrados em nossa tristeza, para assim receber a atenção dos nossos próximos. Agora terão que se preocupar comigo, porque estou sofrendo tanto. Mas assim que alguém realmente procura me libertar da minha tristeza e me ajudar a voltar para a vida, eu recuo novamente. Preciso da minha tristeza para poder sustentar a ilusão de que os outros são culpados pela minha miséria.

Evágrio menciona como autopersuasões da tristeza: "Não adianta, Deus não vai me ajudar (1 e 4). Estou abandonado, Deus e seus anjos não se importam comigo (10). Os demônios me perseguem, estou sob seu poder (28 a 34). Pai e mãe morrerão em breve. Como viverei sem eles?" (42). Muitas vezes, a tristeza se manifesta no medo de enlouquecer (43) ou em pensamentos que tentam me convencer de que errei em tudo, de que destruí minha vida e de que não há mais salvação para mim (55 e 73). Um sentimento essencial da tristeza é o medo da fraqueza própria, do poder dos demônios. Nós nos convencemos de que não conseguimos resistir à tentação (71, 47 a 53). Em vez de lugar, fugimos para a nossa fraqueza e temos pena de nós mesmos, dizemos a nós mesmos que estamos expostos a lutas difíceis que não conseguimos vencer. Cabe sempre a mim a decisão de como eu pretendo enfrentar os desafios da vida. Cabe a mim decidir se eu digo a mim mesmo: "Faço tudo errado" ou "Nenhum mestre caiu do céu". Na tristeza eu opto por uma reação passiva, por uma autocompaixão infrutífera. Em minha autopersuasão eu exagero o desafio e a minha fraqueza para não ter que enfrentar a luta. E em meio a todas essas afirmações negativas eu deixo de reconhecer como estou sendo desonesto comigo mesmo. Ignoro minha força e me concentro em minhas fraquezas. Não quero ser adulto e prefiro que alguém cuide de mim como uma mãe.

O vício da ira se manifesta em monólogos constantes em que falamos mal sobre o outro, o menosprezamos e julgamos, analisando tudo que ele diz sobre nós para detectar alguma falha para então destruí-lo e ridicularizá-lo em nossos pensamentos. Ao falar da ira, Evágrio cita as afirmações com as quais acusamos os outros (10): "O outro nem se esforça, ele vive de forma completamente errada" (14). Ou nós o amaldiçoamos, o xingamos (16). Imaginamos brigas novas (24) ou cedemos espaço à ira e à mágoa por causa de coisas pequenas (29). Ou imaginamos palavras que magoam o outro (32). Procuramos razões que nos permitem não nos reconciliar com ele, para justificar o nosso ódio (49 e 51). Se permitirmos esse tipo de afirmações negativas dentro de nós, nos corroemos internamente. Elas nos transformam em pessoas amarguradas e agressivas. Nosso humor é envenenado. Causamos conflitos; sempre lutamos contra algum adversário, que, muitas vezes, só existe em nossa imaginação. Vemos todo o nosso ambiente como hostil, reagimos com raiva e agressividade a ele e assim causamos uma confusão ainda maior.

O vício da "acedia" (tibieza) se expressa em afirmações como: "Isso não adianta nada", "Não estou a fim de fazer isso", "Nada faz sentido", "Para que me esforçar, para que me envolver?" Esses tipos de afirmações sugam nossa força interior e nos paralisam. Evágrio menciona como afirmações e autopersuasões que nos levam à tibieza a insatisfação com o trabalho e a procura por trabalhos mais interessantes e menos exaustivos (1). Menosprezamos o outro em nossos pensamentos para não termos que nos esforçar (2 e 5). Encontramos razões para convencer-nos de que não vale a pena trabalhar em si mesmo (8). Ou nos convencemos de que nossa vida é tão dura (14). Entregamo-nos à tristeza porque os outros conseguiram ter mais sucesso do que nós (23). Ficamos imaginando tudo aquilo que somos obrigados a suportar (25). Menosprezamos o lugar em que vivemos e imaginamos como a vida seria mais fácil em outro lugar (26). Isso não vale apenas para o lugar geográfico, mas também para as circunstâncias da vida. Achamos que os outros têm uma vida melhor, é apenas a nós que Deus castiga. Nós nos comparamos com os outros e alimentamos assim a nossa insatisfação. Internamente, reclamamos de tudo e nos refugiamos no sono (28). Os pensamentos negativos nos oprimem literalmente, choramos como uma criança pequena, porque acreditamos que ninguém se importa conosco, ninguém cuida de nós, ninguém nos consola e ama, que todos são maus e duros conosco (38 e 55).

Os dois próximos vícios são de natureza mais espiritual. Vanglória e orgulho nos sugerem uma visão equivocada de nosso relacionamento com os próximos e com Deus.

Na vanglória nós nos elogiamos a nós mesmos o tempo todo: "Que ótimo trabalho você fez. Se os outros vissem isso. Ninguém consegue fazer isso tão bem quanto você". Evágrio lista algumas afirmações típicas de pessoas espirituais: "Eu deveria estar pregando aos outros, isso os deixaria impressionados" (1). "Você é famoso entre as pessoas. Todos conhecem sua ambição espiritual" (6). A vanglória se manifesta também nas palavras que ficamos imaginando para corrigir os outros e impressioná-los com nossa piedade e sabedoria (9 e 10). Esperamos que as pessoas venham até nós procurando nossos conselhos (12 e 26). Achamos que somos melhores e nos isolamos dos outros (11 e 15). Gostamos de ouvir nossas próprias palavras e ficamos imaginando como os outros devem estar impressionados conosco (28s.). A vanglória fala conosco usando afirmações como: "Veja, você é prezado porque eu lhe dei o dom da cura" (35). Nós nos recomendamos a nós mesmos em nossos pensamentos, nós nos consideramos dignos de sermos sacerdotes e mestres dos outros (40), e constantemente tentamos provar a nós mesmos como somos bons e únicos. E nisso nem percebemos como iludimos a nós mesmos; ignoramos a energia que precisamos investir para aumentar nosso valor, porque nós mesmos ainda não nos aceitamos do jeito que somos.

O orgulho se expressa em afirmações semelhantes: "Sou superior a todos eles", "Sou melhor do que eles", "Eles devem agradecer a Deus pelo fato de eu existir", "Eu não me misturo com eles", "Sou bom demais para isso". Evágrio cita ainda outras autopersuasões: O orgulhoso se convence de que é o santo de Deus (1), de que ele é completamente puro e incapaz de absorver pensamentos negativos (2). Ele menospreza os santos para ocupar o centro do palco (8). Ele se comporta como pavão e acredita ter chegado ao conhecimento e à experiência de Deus por esforço próprio (13s.). Ou ele zomba de Deus dizendo que não precisa dele (23 e 25). Para Evágrio, zombar dos outros é um sinal do orgulho (31), como também apontar o dedo para os erros dos outros (38). O orgulhoso diz a si mesmo: "Veja, você se tornou um monge perfeito" (39), "Veja, você venceu seus inimigos" (48). Outro sinal do orgulho é, segundo Evágrio, o julgamento constante de outros. Internamente, o orgulhoso julga cada pessoa que vê. Ele diz a si mesmo: "Ele faz isso por motivações egoístas, como ele é egocêntrico e falso" (52 a 54). A si mesmo, porém, o orgulhoso eleva e se considera perfeito e isento dos erros dos irmãos (58s.).

São sempre afirmações que nós dizemos a nós mesmos e que formam os nossos pensamentos. E essas afirmações nos levam a assumir as posturas erradas dos oito vícios. Essa é a opinião de Evágrio e de toda a tradição monástica. Muitas vezes Evágrio chama os pensamentos de demônios. E ele imagina que os demônios nos sussurram afirmações específicas que nos mantêm presos ao vício. As afirmações provocam posturas em nós, e nossas posturas se expressam em afirmações. Afirmações e posturas estão intimamente relacionadas e se determinam reciprocamente. O que veio primeiro, a afirmação ou a postura, não importa. O importante é saber como se livrar da postura errada. E na opinião de Evágrio, essa luta começa com as afirmações. Preciso substituir as afirmações negativas por afirmações positivas, para que dentro de mim se manifeste não o vício, mas a virtude. As afirmações negativas caracterizam posturas negativas e as reforçam; afirmações positivas são sinais de uma postura saudável em relação à vida e transformam nossa postura para o bem. Essa experiência dos monges antigos não perdeu nada de sua validade nos dias de hoje. Pois ela nos apresenta um caminho da autotransformação, um caminho do exercício, que pode ser percorrido por cada pessoa de boa vontade.

3
Afirmações positivas

O método mais praticado pelos monges antigos para reagir às autopersuasões negativas era o chamado método antirrético. Ele funciona da seguinte forma: Assim que uma afirmação negativa me passa pela cabeça, eu lhe respondo com uma afirmação positiva. Na maioria das vezes, trata-se de uma afirmação da Escritura Sagrada que os monges já têm em mente como antídoto para essa situação. Evágrio foi o Padre que desenvolveu esse método em maior detalhe. Mas antes de o estudarmos, pretendo demonstrar a exemplo de alguns provérbios dos Padres que esse era um caminho comum praticado pelos monges. Lemos, por exemplo, sobre Abba Agathon:

> Quando ele via algo, e seu coração queria julgar aquilo, ele dizia a si mesmo: "Agathon, não faça isso!" E assim seus pensamentos se acalmavam (Apo 100).

Agathon possuía um padrão com que reagia a pensamentos determinados que lhe passavam pela cabeça. Não podemos decidir não julgar mais sobre outros. O ímpeto de julgar é forte demais em nós, de forma que não podemos simplesmente extingui-lo.

Expressões como "Ah não, ele de novo não, não suporto esse cara, justo ele!" e outras semelhantes com que julgamos pessoas e coisas são como um reflexo que ocorre automaticamente quando nos deparamos com determinadas pessoas, ou quando vemos determinadas coisas. Somos impotentes diante disso. A razão e a vontade são lentas demais. Mas podemos adquirir outro reflexo, outra reação a determinadas pessoas e coisas. É preciso alguma prática até esse padrão de reação funcionar e fornecer automaticamente afirmações positivas. Agathon reage como que automaticamente ao ímpeto de querer julgar com as palavras: "Não faça isso". Esse é o seu padrão. Existem ainda outros padrões positivos. Por exemplo, poderíamos simplesmente primeiro respirar fundo e, ao expirar, abrir mão da vontade de julgar, para então contemplar a situação com maior clareza e com a distância desses poucos segundos. Ou podemos nos acostumar a falar uma bênção para cada um que nos irrita: "Senhor, abençoa-o" ou a agradecer por ele: "Obrigado, Senhor, sua intenção é boa. Obrigado por ele existir". Essas reações não podem ser controladas pela vontade no caso individual. Precisamos exercitá-las. Isso exige tempo e, no início, alguma energia. Precisamos nos controlar o tempo todo. Mas assim que adquirimos o hábito positivo de reagir com uma oração, isso já não nos custa mais nenhum esforço. Passamos a controlar um reflexo e o substituímos por um positivo, que agora nos acompanha automaticamente, como fazia o negativo no passado.

Um dos Padres contava: "Em Kellion vivia um monge que gostava de trabalhar e vestia apenas um tapete. Ele partiu e chegou ao Padre Ammonas. Quando o velho viu que ele vestia apenas um tapete, ele lhe disse: 'Isso não lhe adianta nada!' E o monge lhe perguntou: 'Três pensamentos me ocupam: Devo vagar pelo deserto – ou devo procurar regiões estranhas, onde ninguém me conhece – ou devo trancar-me em Kellion sem encontrar qualquer outra pessoa e comer apenas a cada dois dias?' O Padre Ammonas lhe respondeu: 'Nenhuma das três coisas lhe ajudará. Muito melhor é você se sentar em seu Kellion, comer diariamente um pouco e ter sempre a palavra do republicano em seu coração (Lc 18,13); assim você conseguirá alcançar a salvação'" (Apo 116).

Não é a atividade, não são os exercícios ascéticos que ajudam ao ser humano, mas a palavra do republicano que não se cansa de recitar a palavra em seu coração. Essa lhe ensina a postura correta perante Deus. Cada conquista ascética pode orgulhar o coração e distanciá-lo de Deus. A afirmação positiva gera nele a atitude de Jesus. Ele não só cumpre os mandamentos de Jesus, mas vive a partir do espírito.

Nos Apophthegmata "Sobre as contemplações de doze eremitas santos", encontramos um bom exemplo do efeito de afirmações positivas. Doze eremitas se reúnem e compartilham seus métodos espirituais. Alguns contam sobre determinados exercícios que eles praticam diariamente; a maioria, porém, possui alguma palavra que recitam constantemente. Para eles, essa palavra é o exercício mais importante. Ela os leva a Deus. Assim, o segundo eremita diz:

Desde que me recusei ao mundo, eu dizia a mim mesmo: Hoje você renasceu, hoje você começou a servir a Deus. Assim, deverá ser um peregrino todos os dias e como um homem que será liberto amanhã. E isso eu me dizia diariamente.

O quarto eremita disse: Eu vivo como se estivesse com o Senhor e seus discípulos no Monte das Oliveiras. Pois eu digo a mim mesmo: Nunca mais conheça alguém conforme a carne; antes seja sempre um imitador de sua transformação celestial, sente-se como a boa Maria Madalena aos pés de Jesus e ouça as suas palavras. Tornai-vos santos e perfeitos, como o é também o Pai nos céus! (Mt 5,48). E novamente: Aprendei de mim, que sou manso e humilde de coração! (Mt 11,29).

O quinto eremita disse: Eu contemplo os anjos, como sobem e descem para chamar as almas, e sempre tenho diante dos meus olhos o meu fim, dizendo a mim mesmo: Preparado está o meu coração, ó Deus, preparado está o meu coração (Sl 6,8).

E o décimo disse: Eu contemplo o anjo que sempre está do meu lado e protejo a mim mesmo, lembrando-me daquilo que está escrito: Tenho sempre o SENHOR ante meus olhos; porque Ele está à minha direita, não vacilarei (Sl 15,8). Tenho temor dele, pois Ele vigia o meu caminho e diariamente ascende a Deus para relatar-lhe minhas palavras e minhas obras (Apo 1.012).

Recitando as mesmas palavras dias após dias, os eremitas trabalham em sua transformação interior. A palavra escolhida por cada um é perfeita para sua situação. É, para ele, o caminho que leva a Deus. Por isso, seria importante encontrar a palavra que me abre o caminho para a vida, que me põe a caminho de Deus. Não posso determinar teoricamente qual é a palavra adequada para mim. Quando uma palavra me fascina, me toca de imediato, isso é um sinal de que ela deveria me acompanhar durante algum tempo, talvez até durante toda a vida, de que ela deveria se tornar a palavra do meu exercício.

Outra declaração dos Padres mostra como uma palavra positiva deve ser praticada concretamente:

> Quando você se levanta do sono, abra imediatamente a sua boca para o louvor de Deus e cante hinos e salmos. Pois a primeira ocupação à qual o espírito se dedica de manhã perdura, assim como a pedra do moinho mói o dia inteiro aquilo que se coloca nela, seja trigo ou feno. Por isso, seja sempre o primeiro a jogar o trigo, para que seu inimigo não possa jogar o feno[8].

Os primeiros pensamentos do dia influenciam todo o dia. Por isso, é muito importante acostumar-nos a nos levantar com um pensamento positivo, com uma oração. Isso me permite acordar com a postura certa. Mas, quando me irrito por ter que levantar cedo, quando fico de mau humor por causa da chuva lá fora ou quando fico estressado pensando na reunião que me espera, eu fico maldisposto durante o dia inteiro. Os pensamentos negativos sugam minha energia, e passo a ver o dia inteiro através de óculos escuros

---

8 *Les sentences des Péres du Dèsert, nouveau recueil*. Solesmes, 1977, n. 592/42 [Org. de L. Regnault].

Essa palavra dos Padres quer nos dizer que deveríamos vincular nossos pensamentos positivos a atividades bem específicas do nosso dia. Quando decidimos pensar frequentemente em Deus durante o dia ou meditar sobre um versículo da Bíblia, essa decisão tem poucas chances de ser bem-sucedida. Mas se vincularmos uma passagem da Bíblia ou uma oração a uma atividade, que fazemos de todo jeito, não precisaremos de energia extra para cumprir a nossa decisão. Nós a vinculamos a uma atividade do dia a dia. E assim que a realizarmos, nós nos lembraremos daquela passagem da Bíblia. Isso exige alguma prática. Mas logo esse exercício é incorporado e acontece automaticamente. Assim que ele se transforma em hábito, ele não nos custa mais força alguma. Não é uma questão da força de vontade criar esse tipo de hábito, mas sim da esperteza. É isso que nos diz a psicologia do comportamento, que não aceita a desculpa segundo a qual nós seríamos incapazes de alterar nossa conduta e de manter um voto. É sempre uma questão da nossa esperteza como nós vinculamos atividades e situações repetitivas do nosso dia a dia às palavras de determinada oração.

Muitas vezes usamos os votos como desculpa para não mudar nada na nossa vida. Apesar de tomarmos a decisão de trabalhar em nós e de avançar na vida, nós permanecemos parados onde estamos. Os votos acalmam nossa consciência, mas seu efeito é nulo. Um irmão observou que votos são a maneira mais segura de impedir que algo em nossa vida mude. Pois o voto sempre se adianta, ele sempre se dirige ao futuro e nada efetua no presente. Eu fujo do desafio do momento atual para um futuro sem compromissos. Em vez de fazermos muitos votos, deveríamos praticar coisas bem simples. Uma delas são as afirmações positivas. A arte da vida espiritual consiste em transformar as coisas pequenas do dia a dia em exercícios da presença de Deus. Assim, podemos iniciar um movimento dentro de nós. Deveríamos nos perguntar com sinceridade: Queremos realmente mudar algo em nossa vida, queremos realmente viver nossa vida na presença de Deus, para Deus e com Deus, ou preferimos continuar como estamos e usar nossos votos apenas como desculpa para ficarmos onde estamos? Se realmente quisermos nos aproximar de Deus, existem caminhos para isso. Precisaríamos elaborar um programa para praticar em passos pequenos o Espírito de Jesus, um programa modesto que pode ser realizado. Basta transformarmos uma atividade do dia em exercício na presença de Deus para mudarmos algo decisivo em nossa vida.

Outra palavra dos Padres nos encoraja a pensarmos toda noite em nossa morte e a nos perguntarmos: "Será que amanhã eu acordarei?" Devemos cair no sono rezando. "Pois na noite o monge se ocupa com os mesmos pensamentos que ele teve durante o dia, sejam eles bons ou maus. Porque, quando dormimos, todas as coisas convergem em um ponto"[9]. Tão importante quanto a oração matinal é a oração noturna, cair no sono com pensamentos positivos. Os

---

9 Ibid., n. 592/45.

pensamentos positivos desdobram seu efeito também no sono. Os pensamentos que temos quando adormecemos determinam os sonhos que temos. Os monges sabem do trabalho do inconsciente durante a noite, por isso nos advertem para não adormecermos com pensamentos de raiva. Eles dizem que a raiva corrói e destrói a alma, que ela confunde a alma por meio de pesadelos. Em todo caso, acordamos com uma predisposição negativa quando não abrimos mão da nossa raiva na noite anterior, mas nos agarramos a ela, levando-a conosco para o sono. Por isso, deveríamos desenvolver uma prática saudável para encerrar o dia. Às vezes basta fazer o sinal da cruz para se entregar a Deus no sono. Melhor ainda é uma breve retrospectiva do dia, entregando-o a Deus, por exemplo, com o versículo do Sl 31: "Em tuas mãos recomendo meu espírito".

Abba Diolcos disse:
> Quando pensamentos entram no coração de um irmão, ele, de forma alguma, pode expulsá-los de seu coração se não recorrer a palavras da Escritura ou dos Padres. Quando o senhor entra na casa, desaparecem os estranhos que nela estão[10].

As afirmações negativas desaparecem quando eu as substituo por afirmações positivas. Nosso espírito é incapaz de pensar em várias coisas e recitar afirmações diferentes ao mesmo tempo. Quando ele recita afirmações positivas, as negativas se calam. Diolcos acredita que as afirmações da Escritura são mais próximas ao nosso coração do que aquelas que costuma-

---

10 Ibid. Eth. Coll. 13,77.

mos recitar com tanta frequência. Elas correspondem ao nosso coração, são palavras do Senhor, que também criou o coração e que sabe o que lhe faz bem.

> Um irmão que sentia o forte desejo de abandonar sua cela compartilhou isso com o Abba Antonius. O velho lhe disse: "Vá, sente-se em sua cela, entregue seu corpo aos muros de sua cela como garantia. E não saia. Deixe seus pensamentos irem para onde quiserem, mas não deixe seu corpo sair da cela. Ele sofrerá e não poderá fazer nenhum trabalho. Ele terá fome e, na hora da refeição, ele virá e insistirá que você coma. E quando ele lhe disser: Coma um pouco de pão, responda imediatamente: Nem só de pão vive o ser humano, mas de tudo que procede da boca do SENHOR (Dt 8,3). Ele lhe dirá: Beba um pouco de vinho como Timóteo (1Tm 5,23); responda: Pense nos filhos de Jonadab que obedeceram ao mandamento de seu pai (Jr 35,6). Quando vier o sono, não permita que ele se aproxime, pois está escrito no Evangelho: Vigiai e orai (Mt 26,41). E está escrito: foram espoliados, dormem o seu sono (Sl 76,6). Alimente sua alma com as palavras de Deus, com vigílias, orações e, sobretudo, com o pensamento voltado sempre para o nome do Nosso Senhor Jesus Cristo. Nele encontrará orientação para vencer os pensamentos ruins[11].

Esse episódio nos mostra lindamente como o monge supera cada tentação. A tentação se aproxima dele por meio de uma afirmação negativa. Ela o encoraja a comer e beber. A afirmação positiva da Palavra de Deus, por sua vez, lhe dá a força para jejuar e vigiar.

---

11 *Les sentences des Péres du Dèsert, troisième recueil*. Solesmes, 1976, Am 22,14 [Org. de L. Regnault].

Permanecer na cela é a condição externa para enfrentar a luta com os pensamentos. Os pensamentos não são recalcados. Antes, o monge os força a se manifestarem negando-se qualquer distração externa ou rota de fuga. Ele suporta a inatividade, o silêncio, para reconhecer dentro de si os pensamentos que o dominam. Muitas vezes pensamentos e máximas determinam nossas vidas sem o nosso conhecimento. Nossa autopersuasão ocorre dentro da nossa cabeça ou do nosso coração sem que nos déssemos conta disso. No silêncio nós descobrimos essas afirmações e nos confrontamos com elas. Desmascaramos os pensamentos que nos determinam quando estamos ociosos. O Padre diz que, como remédio para esses pensamentos e afirmações, devemos confrontá-los com palavras da Bíblia e assim vencer as tentações.

Evágrio desdobra em seu *Antirrheticus* o que essa palavra dos Padres descreve. Evágrio fornece para cada tentação a palavra apropriada das Escrituras. Ele cita principalmente versículos dos Salmos e palavras do Livro de Provérbios. Não podemos citar aqui todas as passagens bíblicas do *Antirrheticus*. O que importa é o método. Cada um de nós deveria procurar na Escritura Sagrada essas palavras de cura. Um método para encontrar a palavra de cura certa para si mesmo consiste em anotar primeiro todas as afirmações negativas próprias. Quais são as afirmações mais importantes que vivo dizendo a mim mesmo, com as quais reajo automaticamente a determinadas situações? Essa lista me ajuda a encontrar a resposta adequada na Escritura. É importante limitar-se a poucas palavras para poder usá-las como lema para a sua vida. Versículos dos Salmos ou Provérbios são perfeitos para isso.

Vimos que muitas pessoas já usam esse tipo de provérbios como afirmações positivas. E creio que os provérbios foram criados para esse propósito: palavras que repetimos com frequência e com as quais interpretamos, compreendemos e lidamos com a vida de forma positiva. O latim as chama de *proverbia*, ou seja, prefácios a alguma ação, afirmações que servem para a "superação da vida"[12]. No provérbio cristalizam-se as experiências de muitas gerações. A verdade que se expressa nele precisa de formulações fortes e, muitas vezes, paradoxais. Gerhard von Rad lembra que "a importância atribuída à palavra exorcizante é sua formulação que fixa e sanciona a verdade"[13]. Por isso, os provérbios funcionam tão bem como afirmações positivas. Com eles, recitamos experiências que nos ajudam a encontrar nosso caminho em meio ao caos da vida. As palavras formuladas no provérbio criam ordem no caos das próprias experiências. São como "sinais dispostos aos nossos olhos que nos ajudam a nos orientar"[14]. Herder diz que os provérbios não servem para nos ensinar algo, mas para aprendermos com eles. Quando os recitamos, aprendemos a lidar com a vida.

---

12 Cf. RAD, G. *Theologie des Alten Testaments*. Vol. 1. Munique, 1966, p. 430-435.

13 Ibid., p. 432.

14 Ibid., p. 434.

Na nossa procura de palavras de cura da Escritura precisamos então encontrar afirmações fortes, que possam ser aprendidas de cor facilmente. Se analisarmos as palavras de Jesus, descobrimos que muitas delas possuem esse "poder exorcizante" dos provérbios. Em seu *Antirrheticus*, Evágrio cita muitas dessas palavras de Jesus, que se gravam imediatamente em nossas mentes: "Ninguém pode servir a dois senhores" (Mt 6,24; ganância 42). "Tudo que desejais que os outros vos façam, fazei-o também vós a eles" (Mt 7,12; ganância 43). "Deixa que os mortos enterrem os seus mortos" (Mt 8,22; acedia 43). "Todo aquele que se eleva será humilhado, e quem se humilha será elevado" (Lc 14,11; orgulho 52). A sabedoria popular adotou muitas palavras de Jesus como provérbios. A vida mostrou que se trata de palavras com as quais podemos aprender e viver, e que se gravam em nossas vidas como sabedoria da experiência.

Quando lemos a Regra de São Bento encontramos afirmações positivas em todos os capítulos em que ele quer produzir determinada postura nos monges. Para ele, as palavras da Escritura são o instrumento mais adequado para exercitar a postura de Jesus. Basta que o abade recite apenas essas palavras de Jesus: "Por que olhas o cisco no olho de teu irmão e não vês a trave no teu?" (Mt 7,3) e "Buscai, pois, em primeiro lugar o Reino de Deus e sua justiça e todas essas coisas vos serão dadas de acréscimo" (Mt 6,33) e ele será um bom abade, um abade que vive no Espírito de Jesus. As palavras de Jesus como afirmações de autopersuasão são mais importantes para a prática da postura certa do que a exposição teórica, algo que o abade deveria realizar em sua vida. Semelhantemente, São Bento apresenta palavras da Escritura para seu caminho para a humildade, que introduzem o monge a experiências correspondentes às fases da humildade. Vemos aqui que São Bento também recorre aos três tipos de palavras da Escritura mais usados por Evágrio: versículos dos Salmos, palavras do Livro de Provérbios e palavras de Jesus.

Exercitamos a primeira fase da humildade, a sensibilização para a presença de Deus, recitando os dois versículos dos Salmos: "Deus sonda o coração e os rins" (Sl 7,10) e "Perscrutas meus pensamentos de longe" (Sl 139,11). A segunda fase, a desistência da vontade própria, se abre por meio da recitação de "Porque eu desci do céu não para fazer a minha vontade, mas a vontade de quem me enviou" (Jo 6,38). E assim em diante. Cada fase da humildade, cada experiência mais profunda de si mesmo diante de Deus é exercitada por meio da recitação de uma palavra das Escrituras, até finalmente chegarmos à 12ª fase. Aqui basta a palavra do cobrador de impostos: "Senhor, não sou digno de elevar meus olhos para o céu" (Lc 18,13), para assim adquirir a postura que mais se parece com a de Cristo. Nessa fase da humildade, a vida é percebida como presente, como graça. O medo desaparece, e sentimos em nós um amor que amplia o coração, uma liberdade de todas as pressões de ter que provar qualquer coisa a respeito de Deus, a liberdade de ser aceito por Deus como aquilo que somos.

São Bento compreende as palavras da Escritura como afirmações no sentido de que as repetimos constantemente, começando o dia com um versículo e repetindo-o várias vezes ao longo do dia. Essa palavra se transforma então em palavra-chave, com e da qual vivemos. Devemos recitá-la nos momentos de meditação, de manhã e à noite quando estamos desocupados. Vinculamos essa palavra com atividades ordinárias. Nós a recitamos a caminho do trabalho, quando entramos na casa, quando os sinos da igreja vizinha começam a tocar ou quando batem as horas, como o fazem os sinos em nosso mosteiro. Esses horários ou momentos recorrentes precisam ser planejados conscientemente. Nós vinculamos esses momentos automaticamente a uma palavra, garantindo assim que nos lembraremos dela algumas vezes a cada dia. Esse exercício consciente nos faz reagir a determinadas situações do dia com afirmações positivas. Normalmente, também não ficamos recitando as afirmações negativas durante o dia todo. Elas só se manifestam em determinadas situações, quando cometemos um erro, quando iniciamos um trabalho difícil, quando alguém nos irrita. Se praticarmos as afirmações positivas, passaremos a reagir com elas a tudo que nos acontece. Então, em caso de um fracasso, eu não direi mais: "Eu sou um perdedor", mas reagirei, por exemplo, com o versículo: "Entrega suas preocupações ao Senhor, Ele te erguerá", ou "Tu me curvaste para que eu aprenda a tua lei". Nas situações imprevistas, revela-se aquilo que eu tenho exercitado. Determinada pessoa recua diante de uma tarefa complicada, lembrando da velha ladainha: "Não consigo fazer isso", outra reage instintivamente com seu provérbio: "Eu como o que estiver no prato", ou com uma oração: "Senhor, Tu podes tudo, ajuda-me", ou com um versículo dos Salmos: "Contigo transponho o fosso, com a ajuda de meu Deus salto muralhas". A afirmação positiva cunha minha reação aos eventos do dia a dia. Ninguém pode planejar cada momento de seu dia a dia. Não podemos controlar completamente a nossa vida. Nossos próximos sempre nos confrontam com situações imprevisíveis. Não possuímos uma agenda para isso. Mas, quando nos lembramos da afirmação positiva em momentos assim, não entramos em pânico ou não sofremos um ataque de raiva. Temos um padrão que nos ajuda a lidar corretamente com o inesperado.

Para o exercício das afirmações positivas, os monges desenvolveram o método meditativo da *ruminatio*[15]. Assim como a vaca rumina seu alimento, o monge deve ruminar a Palavra de Deus. Ele deve repeti-la constantemente, para que ela esteja em sua boca no momento certo. E assim como a ruminação faz bem à vaca, essa prática deve gerar um bem-estar e uma satisfação no monge. Além da vaca ruminante, os monges recorrem também à imagem de mastigar um chiclete, que preenche a boca com seu sabor agradável.

---

15 Cf. RUPPERT, F. "Meditatio-Ruminatio – Zu einem Grundbegriff christlicher Meditation". *Erbe und Auftrag*, 53, 1977, p. 83-93.

Abba Poimen disse:
> Certa vez, estive com os irmãos na casa do Abba Makarius. E eu lhe perguntei: Meu pai, o que pode fazer o monge para alcançar a vida? O velho respondeu: Em minha infância, quando estive com meu pai, percebi que as mulheres idosas e as garotas jovens tinham algo na boca, um tipo de borracha que elas mastigavam para adoçar sua saliva e para afastar o gosto ruim de sua boca, para refrescar seu fígado e seus intestinos. Agora, se uma coisa material trouxer tanta doçura para aqueles que a mastigam, quanto mais o alimento da vida, a fonte da salvação e da água viva, a doçura de toda doçura, Nosso Senhor Jesus Cristo, seu nome santo e abençoado, faz desaparecer os demônios, quando o sentimos em nossa boca. Se mastigarmos esse nome constantemente, o guia da alma e do corpo iluminará nossa razão, expulsará todos os pensamentos ruins da alma imortal e revelará a ela coisas celestiais. E sobretudo aquele que está nos céus, Nosso Senhor Jesus Cristo, o Rei dos reis, o Senhor dos senhores (At 17,14), a recompensa celestial para todos aqueles que o buscam com todo seu coração[16].

Essa palavra dos Padres recomenda a oração de Jesus, a repetição constante do nome de Jesus como afirmação positiva, que, com o passar do tempo, transforma a pessoa e seus sentimentos, que a preenche com uma alegria interior, e assim ilumina o humor. Essa técnica simples da ruminação ajuda não só a lidar com as situações do dia a dia a partir de uma postura positiva, mas nos leva também à iluminação, a experiências profundas de Deus. O cami-

---
16 *Les sentences...* Op. cit., Am 133,1.

nho das afirmações positivas se transforma para os monges em caminho místico, que conecta seu coração a Deus e se une com Ele. Makarius e muitos outros Padres Monásticos acreditam, porém, que não se deveria praticar várias afirmações positivas, mas apenas uma única.

A palavra que escolhemos como nosso lema pode nos dar sempre um apoio ou nos servir como refúgio. Posso sempre voltar para aquela palavra em momentos de ócio, quando estou esperando por algo. Posso também rezar essa palavra quando sentir um vazio dentro de mim, quando não sinto nenhuma vontade de conversar intensamente com Deus, quando não consigo ordenar meus pensamentos ou não me suportar. Posso simplesmente me entregar à palavra, sem esforço, sem a obrigação de entrar num estado de devoção. Trata-se da minha palavra, de uma palavra na qual eu resido, na qual me sinto em casa. Ela faz parte de mim, sinto como a palavra me ajuda a entrar em contato comigo mesmo. Tornou-se parte de mim. E sinto minha própria identidade sempre que volto a meditar sobre essa palavra. E sinto a presença de Deus, que eu invoco em minha palavra. Deus se torna presente na palavra que carrego comigo, e sua presença efetua aquilo que se expressa nela. A palavra não é uma fórmula mágica que resolve todos os meus problemas, mas ela desperta algo em mim, ela me desperta e me coloca na presença de Deus.

4
A autopersuasão na psicologia

Os psicólogos de cunho freudiano e junguiano pouco se importaram com as afirmações que nos acompanham dia após dia. Para eles, outros meios de abordar o inconsciente eram mais importantes: sonhos, associações, atos falhos, análise das lembranças da infância. Jung não dá muito valor a palavras e expressões; em sua opinião, são as imagens e os arquétipos que determinam o inconsciente e que definem a postura interior e a conduta externa de uma pessoa.

Diferentemente de Freud e Jung, a psicologia comportamental já demonstra mais interesse pela importância de afirmações. Ela analisa os fatores que exercem uma influência sobre a nossa conduta. Não são apenas os fatores externos que determinam nossa conduta, nós mesmos podemos influenciar nosso comportamento. A psicologia comportamental fala da autorregulamentação ou da técnica da autoadministração[17]. O ser humano não reage apenas a estímulos

---

17 Cf. KANFER, F.H. *Selbstregulierung und Selbstkontrolle:* Psychologie des 20. Jahrhunderts. Vol. IV. Zurique, 1977, p. 801ss. [Org. de H. Zeier].

externos. Ele mesmo pode criar estímulos que o tornam mais independentes de seu ambiente imediato, de forma que sua conduta já não pode mais ser prevista a partir de influências externas. Esses estímulos autocriados são também as afirmações positivas por meio das quais nós podemos dirigir nossos atos para determinada direção. Eu mudo meu comportamento criando um estímulo interno, recitando uma palavra, dando-me uma ordem, convencendo-me de algo.

Nesse contexto, deveríamos analisar mais de perto o efeito da língua sobre o ser humano. Wolf Schneider fala da magia da língua:

> Muito provavelmente, a língua não teria sido criada se nossos antecedentes não tivessem acreditado que as palavras possuem um poder mágico; e também hoje a maioria das palavras não seria expressada na nossa terra se a maioria dos seres humanos não compartilhasse dessa convicção de seus antecedentes. A função da língua como meio de informação é uma alegação de leigos, jornalistas e teóricos da informação que não resiste a uma investigação. Não: a palavra vem dos deuses, se eleva aos deuses, pressiona os deuses, acalma os demônios, cunha os seres humanos e encanta as coisas – essa é a visão de todos que fazem orações, e cada um que já exclamou algo do tipo "Boa sorte!" compartilha dessa visão[18].

Uma condição para o desdobramento do poder mágico de uma palavra é sua repetição com a mesma formulação. O efeito mágico se intensifica com o ritmo

---

18 SCHNEIDER, W. *Magie der Sprache:* Psychologie des 20. Jahrhunderts. Vol. XV. Zurique, 1979, p. 973 [Org. de G. Condrau].

e a rima das palavras. "Versos – nisso a humanidade parece concordar – são capazes de coagir deuses, versos remetem às vozes dos deuses"[19]. Isso explica a origem e o efeito de provérbios. Desde sempre, os provérbios foram concebidos como afirmações por meio das quais nós nos fortalecemos para poder enfrentar as exigências da vida. Um provérbio nos explica o mundo em seu caos muitas vezes incompreensível. Ele nos revela uma ordem em meio ao caos. Assim, ele nos dá sustento e impede que percamos nossa postura diante de coisas imprevisíveis. Ele desperta em nós uma postura positiva diante dos desafios, nos oferece a energia (libido) necessária para superar as dificuldades.

Muitas vezes pais e mães entregam aos filhos na hora de sua morte um provérbio como legado. Essa palavra concentra em si toda a sua filosofia de vida, e eles a entregam aos filhos para que também estes enfrentem a vida com a mesma postura e nela encontrem a força para superar os desafios da vida. Essa palavra possui o poder para banir o negativo ao qual todos nós somos expostos. O provérbio é muito mais do que informação, ele possui o poder mágico da palavra. Trata-se de "uma forma muito elementar de se apoderar da vida"[20], de "uma arma sempre disponível na luta da vida"[21].

O efeito positivo de fórmulas fixas foi aproveitado pelo treinamento autógeno. Este se utiliza de palavras

---

19 Ibid., p. 974.
20 RAD, G. Op. cit., p. 433.
21 SEILER, F. *Deutsche Sprichwörterkunde*. Munique, 1922, p. 21.

de confiança como: Encaro essa prova com toda calma, descerei pela colina com toda tranquilidade etc. Uma vez que conseguimos relaxar o corpo por meio da autossugestão, devemos nos dizer esse tipo de palavras, para que o relaxamento físico não influencie apenas momentaneamente o espírito, mas se estenda até as expressões da vida. Muitos atletas de nível mundial utilizam essa técnica do treinamento autógeno para relaxar antes da competição e para manter a calma e tranquilidade também durante a corrida, para assim alcançar um desempenho melhor. Cada fixação, cada desejo de querer vencer custe o que custar, impede a vitória, pois esse desejo bloqueia energias. Essas palavras de confiança geram confiança. Essas afirmações de um estado relaxado ajudam a projetar aquilo que nós nos dizemos. E essa projeção mostra efeitos comprováveis.

A análise transacional atribui uma importância decisiva a essas afirmações internas. A análise transacional é uma vertente psicológica moderna, desenvolvida no final da década de 1950 por Eric Berne nos Estados Unidos. Apresentarei rapidamente os conceitos principais dessa escola psicológica para assim lançar luz sobre as experiências dos monges com suas afirmações[22].

A análise transacional distingue três estados do eu, que se manifestam em comportamentos típicos:

Estado de Ego Pai. Gravamos os pensamentos dos pais, suas ordens e seus modos de conduta "como

---

22 Sigo aqui as informações encontradas em ROGOLL, R. *Nimm dich, wie du bist* – Eine Einführung in die Transaktionsanalyse. Friburgo, 1976. Todas as indicações de páginas se referem a esse livro.

num disco rígido em nosso cérebro" (13), e no nosso estado de Ego Pai nós pensamos e sentimos como nossos pais. Existe um Ego Pai que nutre (que encoraja, elogia, confirma) e outro que critica ou controla.

Estado de Ego Adulto. Nesse estado observamos objetivamente o nosso ambiente, avaliamos a situação e tomamos nossa decisão de forma sóbria e objetiva.

Estado de Ego Criança é o padrão que mantemos desde a nossa infância. Nele encontramos nossos desejos, nossas necessidades e nossos sentimentos. O Ego Criança apresenta uma criança adaptada e conformada, e uma criança livre e natural que age tão espontaneamente quanto uma criança.

A transição abarca todas as formas de relações interpessoais. Nossos relacionamentos estão em ordem quando conseguimos ativar o estado do Ego mais adequado para determinada situação. Os relacionamentos são prejudicados quando agimos com um estado de Ego inadequado. Minha capacidade de reagir adequadamente depende da minha postura fundamental. A análise transacional distingue quatro posturas fundamentais e as expressa em afirmações. A maioria de nós não está ciente dessas afirmações; mesmo assim, elas representam o padrão básico de seus pensamentos e sentimentos:

Eu sou OK – você é OK (postura saudável). Eu não sou OK – você é OK (postura depressiva). Eu sou OK – você não é OK (postura paranoica). Eu não sou OK – você não é OK (postura catastrófica).

O que determina a nossa postura fundamental, a perspectiva sob a qual observamos e avaliamos os nossos próximos e a nós mesmos é o chamado manuscrito da vida, marcado e gravado em nós por nossos pais ou seus representantes. O manuscrito da vida é escrito pelas mensagens que os pais transmitem aos filhos por meio de suas falas, seus pensamentos e seus olhares e atos. Fatídicos são principalmente as chamadas reiterações. Cada criança precisa de atenção positiva, precisa da permissão de ser, de ser ela mesma, de viver de acordo com sua idade, de se apoiar em outros, de sentir, de pensar, de ter sucesso e de ser saudável. As reiterações nos privam dessas permissões tão necessárias para a nossa saúde. Explícitas ou não, essas reiterações marcam a criança por meio de afirmações como:

Não seja (eu queria que você jamais tivesse nascido, como seria bom se você não existisse). Não seja você mesmo (uma menina, por exemplo, deveria ter sido um menino). Não seja criança. Não chegue perto de mim. Não sinta. Não pense. Não consiga. Não seja saudável (você é maluco, tem algo de errado com você).

As reiterações escrevem o roteiro da vida de uma criança e dominam sua vida. Todas as suas reações, sua autoavaliação, seus sentimentos e pensamentos são determinados por esses roteiros. Não importa o que a criança faça, eles surgem inconscientemente em afirmações como: "Eu não consigo", ou "Não seja você mesmo", ou "Eu sou um fracassado", "Eu não presto para nada", "Preciso me adaptar", "O que as pessoas pensarão de mim?" A análise transacional distingue diferentes roteiros que representam as posturas fundamentais de uma pessoa. E cada roteiro se manifesta em determinadas afirmações que repetimos o tempo todo a nós mesmos – consciente ou inconscientemente, isso não importa. Existe o roteiro do nunca: "Nunca conseguirei isso", "Nunca entenderei isso", "Nunca encontrarei meu parceiro". O roteiro do sempre significa que sempre caiu na mesma armadilha, que sempre encontra o mesmo tipo de pessoas. Os roteiros do antes e do depois se expressam em afirmações como: "Você não pode pensar em seu próprio prazer sem antes cuidar da sua mãe. Depois de você se casar, ter um emprego..." Esses roteiros são como lemas que orientam nossa vida e sempre nos levam ao mesmo comportamento. Existem lemas característicos que definem determinados tipos. Eu sou o maior (Napoleão, Hitler). Não gosto de complicações (Papageno). Quero meu direito (Michael Kohlhaas). Sou supérfluo (o pequeno senhor Friedemann). Eu não consigo fazer isso (K. no castelo de Kafka). E existem os chamados roteiros coletivos, de família: Não fazemos esse tipo de coisas. Isso não existe na nossa família (86s.).

A pergunta é: Como eu posso mudar o roteiro da minha vida? O primeiro passo é a chamada análise de roteiro. Preciso investigar como meu roteiro de vida se desenvolveu e quais são as suas afirmações características. Encontrarei não só as afirmações citadas acima, mas também os chamados impulsionadores. Quando os pais percebem problemas de desenvolvimento no seu filho causados por suas reiterações negativas, eles tentam impedi-los ou afastá-los com reiterações contrárias. A análise transacional chama essas reiterações contrárias de impulsionadores. São cinco as reiterações por meio das quais os pais tentam impor ao filho uma conduta normal: "Seja perfeito", "Se apresse", "Se esforce", "Faça o que eu quero", "Seja forte" (102). Todos esses impulsionadores têm sua origem na postura fundamental "Eu não sou OK". A análise do roteiro revela muitas vezes outro elemento dessa postura do Ego: O Ego Criança vingativo, que se expressa em afirmações como: "Eu vou lhe mostrar do que eu sou capaz, vocês vão ver o que conseguirão fazer sem mim" (104).

A análise do roteiro de vida é apenas o primeiro passo. Ao analisar minhas reiterações e meus impulsionadores, eu adquiro uma distância deles. Mas o reconhecimento deles não os faz desaparecer. Preciso contrapor a eles afirmações positivas, absorvê-las para que elas passem a determinar meu comportamento. A análise transacional o expressa assim: devemos substituir os impulsionadores do Ego Pai pelos permissores do Ego Pai natural. Em vez de "Seja perfeito", devemos dizer a nós mesmos: "Você tem a permissão de errar. Você também pode ser fraco. Nem sempre você precisa impressionar os outros". O impulsionador do "Se apresse" é substituído pelo permissor: "Você tem todo o tempo para fazer o que quer. Faça, mas não se apresse".

Os permissores, ou seja, as afirmações que me permitem viver, que despertam e reforçam em mim o positivo, me ajudam a anular o poder dos impulsionadores e assim a fugir do ciclo vicioso no qual eles me mantiveram preso. Essas afirmações curam a pessoa. Elas a libertam de sua postura "Eu não sou OK", dão-lhe uma postura fundamental positiva, de forma que ela não precisa mais manipular os outros por meio de confusão, depressão ou impotência a lhe darem atenção. Agora que ela mesmo se acha OK, ela pode ver também os outros como "OK". Na análise transacional, o caminho para essa postura positiva em relação à vida passa pela recitação de mensagens positivas, que então passam a substituir as reiterações negativas. É um caminho do exercício, da prática; um caminho que fortalece o Ego Pai sustentador e enfraquece o Ego Pai controlador. Assim, os desejos e as necessidades reais do Ego Criança natural podem vir à tona e ser protegidos de decepções com a ajuda do Ego Adulto (114).

5
Métodos para lidar com os pensamentos

O método mais popular entre os monges antigos de lidar com os pensamentos era contrapor uma afirmação positiva a uma negativa. Mas os autores monásticos conheciam também outros caminhos. Alguns exemplos da literatura dos Padres ilustram os diferentes métodos:

> O Padre Poimen contava sobre o Padre Isidoro: Seus pensamentos lhe diziam: "Tu és um homem grande!" E ele dizia a si mesmo: "Será que sou semelhante a Antonius? Ou será que me tornei perfeito como o Abba Pambo? Ou como os outros Padres que agradavam a Deus?" Sempre que ele se perguntava isso, ele voltava a ter paz. Mas quando a inimizade (dos demônios) queriam preenchê-lo com medo, dizendo que, depois de tudo isso, ele seria castigado, ele respondia: "Mesmo que eu seja lançado no castigo, eu mesmo assim os encontrarei abaixo de mim" (Apo 362).

Aqui Isidoro inicia um diálogo com os pensamentos. Ele não os expulsa com a ajuda de afirmações positivas, antes prefere conversar com eles, pergunta o que estão querendo lhe dizer e os leva ao absurdo com suas perguntas. O pensamento negativo que tenta convencê-lo de que ele irá para o inferno não é ignorado, antes o aceita, mas retira-lhe o espinho. Mesmo se o pensamento for correto, ele não o ameaça. Muitas pessoas sofrem com dúvidas, dúvidas em relação a alguma decisão, dúvidas de seu parceiro, dúvidas relacionadas à profissão. Muitas vezes, não adianta suprimir as dúvidas ou proibi-las. Elas sempre retornam e nos levam ao medo e à insegurança. Quando admitimos a dúvida e dizemos: "Sim, tudo isso é verdade, mas... mas mesmo assim eu assumo minha decisão, mesmo assim permaneço fiel ao meu parceiro", as dúvidas perdem seu poder e deixam de nos atormentar. Já não sofremos mais qualquer pressão de refutar as dúvidas por meio de argumentos. Nós as aceitamos e assim somos capazes de lidar com elas tranquilamente.

O método relatado por Amma Theodora é semelhante. Ela acredita que, muitas vezes, são os demônios que nos inspiram pensamentos negativos, dizendo que somos fracos e doentes e que, por isso, não poderíamos ir à missa. E então ela usa um monge como exemplo para explicar como devemos reagir a essas afirmações:

> Havia um monge que, no momento em que queria partir para a missa, foi tomado por uma febre e calafrios. E na cabeça sentiu uma grande pressão. Então ele disse a si mesmo: Veja, estou doente, e é possível que eu morra. Por isso, irei à missa antes de morrer. Com esse pensamento, ele venceu seu corpo e foi à

missa. Quando esta terminou, a febre diminuiu. Mais uma vez ele resistiu a esse pensamento, foi à missa e venceu o pensamento (Apo 311).

O monge não resiste ao pensamento que tenta convencê-lo de que está doente. Ele o confirma. Mas, justamente por confirmar seus pensamentos, ele precisa ir à missa. Muitas vezes, um confronto direto com um pensamento que volta a nos atormentar não leva ao sucesso. Quanto mais nós nos proibimos de pensar algo, com mais força ele volta e nos atormenta. Se aceitarmos e admitirmos o pensamento, podemos redirecioná-lo e assim vencê-lo.

Um irmão me contou de um jovem que conseguia descrever exatamente o que havia de errado com sua psique, o que acontecia dentro dele. Mas descrever sua doença de nada lhe adiantava. Por meio das conversas com o irmão, ele descobriu um truque. Quando ele se pegava analisando suas imaginações neuróticas, ele dizia a si mesmo: "Sim, meu mestre dentro de mim agora me diz que não posso estudar agora, que preciso deitar, que estou fraco demais para lidar com meus problemas; mas eu digo: eu estudo mesmo assim, vou jogar futebol mesmo assim". Ele mesmo passou a reagir às afirmações negativas de seu eu mestre. Ele não se deixou mais dominar pelos pensamentos inteligentes dentro dele. Ele os confirmou. Sim, é isso mesmo. Ele não queria provar que estavam errados, mas ele lhes opôs sua própria reação. E essa reação foi sua decisão pessoal com a qual ele superou o domínio dos pensamentos negativos.

Não podemos simplesmente expulsar os pensamentos negativos dentro de nós. E isso nem é necessário. Devemos reagir ativamente a eles. Não devemos recalcá-los, mas lidar com eles, lutar com eles. Não faz mal o fato de eles voltarem sempre. Não podemos impedi-los. Poimes descreve isso de forma plástica:

> Um irmão procurou o Padre Poimen e disse: "Pai, tenho muitos pensamentos que me ameaçam". O Padre o levou para fora e lhe disse: "Estenda seu manto e contenha o vento!" Ele respondeu: "Não posso fazer isso!" Então, o padre idoso lhe disse: "Se você não consegue fazer isso, você também não pode impedir que seus pensamentos venham até você. Mas sua obrigação é resistir a eles" (Apo 602).

Não devemos nos surpreender com nenhum pensamento que surgir dentro de nós, por mais injusto, egoísta e violento que seja. Não devemos ficar com medo quando descobrirmos em nós ódio e inveja, ciúme e rancor ou quando percebermos que desejamos a morte a alguém. Em momentos assim, não devemos nos julgar, dizendo a nós mesmos que não deveríamos ter esse tipo de pensamentos, que somos fundamentalmente maus por pensarmos essas coisas. Não deveríamos nos assustar com nenhum pensamento. Pois isso não nos ajuda em nada e apenas aumenta nosso medo e nossa autoacusação infértil.

A reação correta é admitir que, sim, esse pensamento existe dentro de mim, eu quero que aquela pessoa morra, sim, tenho em mim sentimentos de ódio, pensamentos de morte, inveja, o desejo de acabar com o outro. Eu permito o pensamento, mas eu não o executo. Eu luto com ele perguntando por sua raiz: De onde vem esse pensamento, o que ele diz sobre mim mesmo, qual a força positiva por trás dele, qual o anseio que se expressa nele e quais são as feridas para as quais ele aponta? Em vez de proibir o pensamento, nós o aceitamos e lutamos abertamente contra ele. Apenas assim podemos vencê-lo, sem o medo constante de que ele retornará. Algumas pessoas se sentem possessas por um pensamento negativo, pois ele emerge nas situações mais inapropriadas. Se encararmos os pensamentos sem medo, como o fez Poimen, e então lutarmos abertamente contra eles, nós jamais seremos "possessos" por qualquer pensamento. Os pensamentos não se transformam em obsessão, mas em um adversário contra o qual lutamos na confiança de que Deus nos concede a vitória.

Existem, porém, pessoas que não devem permitir pensamentos negativos para então lutar contra eles. Essas pessoas devem refutar o pensamento imediatamente. Depende de cada um, de sua resistência e de sua força, qual caminho é o melhor. Os Padres contam:

> Certa vez, o Abba Poimen perguntou ao Padre Joseph: "Que devo fazer quando as paixões se aproximam de mim? Devo resistir a elas ou permitir que entrem em mim?" O velho lhe disse: "Deixe-as entrar e lute com elas!" Após voltar para Scetes, ele se sentou. Veio então um de Tebas e disse aos irmãos: "Perguntei ao Abba Joseph: Quando as paixões se aproximarem de mim, devo resistir ou permitir que entrem? E ele me disse: De forma alguma deixe-as entrar, antes ponha-as para correr imediatamente!" O Padre Poimen ouviu que o Abba Joseph havia falado assim ao homem

de Tebas. Ele então se levantou e foi vê-lo em Panepho e disse a ele: "Pai, eu confiei a você os meus pensamentos e, veja, você falou comigo assim, mas diferentemente com o homem de Tebas". O velho respondeu: "Você não sabe que eu amo você?" Ele disse: "Sim!" O velho respondeu: "Você não me disse: Assim como você fala consigo mesmo, fale também comigo?" Ele respondeu: "É isso mesmo!" Então o velho disse: "Quando as paixões entram, e você lhes dá e delas recebe, elas o tornam mais forte. Falei com você como falo comigo mesmo! Existem porém outros que não devem permitir que as paixões se aproximem. Estes precisam cortá-las imediatamente" (Apo 386).

Evidentemente o Abba Joseph considera permitir a entrada das paixões e lutar contra elas o método melhor. Mas esse método exige uma fé tão forte em Deus que não permite que sejamos dominados pelos pensamentos passionais e que reconheçamos o aspecto positivo neles para usarmos a força contida neles para o nosso próprio bem.

O Abba Teodoro nos mostra uma terceira possibilidade de lidar com os pensamentos. Em vez de barrar o pensamento imediatamente ou enfrentar a luta com ele, ele joga com o pensamento como com uma bola, que ele pega e devolve. Assim, ele diminui o impulso da bola. Ele não permite que a bola se choque contra ele, antes a pega para que ela não o machuque. E então ele a joga de volta.

> Contavam sobre o Abba Teodoro e o Abba Lukios, aqueles de Ennatu, que, durante cinquenta anos, zombavam de seus pensamentos, dizendo: "Quando este inverno passar, partiremos daqui". E quando vinha o verão,

diziam: "Quando este verão terminar, emigraremos daqui". Isso esses dois Padres inesquecíveis faziam o tempo todo (Apo 298).

Se nós disséssemos a nós mesmos: De forma alguma posso sair daqui, de forma alguma posso me divorciar, de forma alguma posso desistir da minha ordem, esse pensamento poderia gerar um medo dentro de nós. Não sabemos se aguentaremos ficar no mosteiro ou no casamento, ou se isso excede nossas forças. Se não excluirmos a possibilidade de um fracasso, mas dissermos simplesmente "Tudo bem, mas apenas no próximo ano", podemos lidar de forma mais tranquila com esses pensamentos que nos assombram. Não podemos tomar uma decisão com um impacto sobre a vida toda no momento inadequado. No entanto, tampouco devemos adiar sempre uma decisão. Mas, às vezes, é melhor diminuir a força dos pensamentos, reconhecendo-os, mas sem obedecê-los imediatamente. Esse método demonstrou ser útil principalmente em tempos de crise. Quando somos abalados por uma crise, muitas vezes perdemos a cabeça e queremos sair correndo. Mais tarde, nós nos arrependeríamos desse passo. Não adiantaria tentar convencer a nós mesmos que a decisão foi certa naquele momento; pelo contrário, isso nos levaria a avançar ainda mais na direção errada, pois teríamos perdido o nosso apoio. Não faz sentido tentar se agarrar ao abismo. Numa situação assim, bastaria proteger a pessoa em crise do próximo passo errado e preservar assim a possibilidade de tomar o passo correto mais tarde.

Às vezes a única solução é ceder ao pensamento e experimentá-lo:

> Contavam sobre o Padre Gelasios que ele era acometido com frequência pelo pensamento de refugiar-se no deserto. Certo dia, ele disse ao seu aluno: "Faça-me um favor, irmão, e suporte tudo que eu venha a fazer e não fale comigo durante a semana inteira!" Ele pegou seu bastão e começou a andar pelo pátio. Quando se cansava, ele se sentava um pouco, depois se levantava novamente e continuava seu passeio. Ao anoitecer, ele disse a si mesmo: "Quem vaga pelo deserto não tem pão para comer, apenas capim. Mas você, em sua fraqueza, coma um pouco de verdura". Foi o que ele fez, então disse a si mesmo: "No deserto você não dorme sob um teto, mas sob o céu; então faça o mesmo!" Ele se deitou e dormiu no pátio. Isso ele fez durante três dias. Ele caminhava pelo mosteiro, à noite comia algumas folhas de salada, dormia ao ar livre, e então se cansou. Então, repreendeu o pensamento que o atormentava e brigou consigo mesmo: "Se você não conseguir cumprir as obras do deserto, permaneça em paciência em teu Kellion e chore seus pecados, e não fique vagando por aí. Pois em todos os lugares o olho de Deus vê as obras do homem e nada se oculta dele, e Ele reconhece aqueles que fazem o bem" (Apo 181).

Todos os argumentos, segundo os quais esse caminho não seria certo, de nada adiantam. O desejo de seguir esse caminho é tão forte que ele só se acalma quando o experimentamos. A experiência própria nos ensina mais do que todos os conselhos de outros e mais do que nossos próprios argumentos que elaboramos contra o pensamento tentador. Algumas pessoas precisam fazer um desvio. E nada podemos fazer para impedi-las. Elas precisam segui-lo para assim encontrar o caminho certo por conta própria. O importante é, porém, que não tomem nenhuma decisão definitiva, mas apenas testem se conseguirão seguir aquele caminho.

Quando um pensamento ressurge com grande frequência, devemos perguntar pela necessidade que se manifesta nele. Quando admitimos a necessidade e permitimos que ela se aproxime de nós e a testamos, é possível que ela desapareça. Foi essa a experiência de um padre que, durante três anos, havia lutado em vão contra o pensamento de visitar um irmão:

> Finalmente ele disse a si mesmo: Suponha que você foi visitar o seu irmão e você diz: "Como você está bem, pai. Há tempos desejo visitar sua santidade". Então, buscou uma bacia e se lavou e assumiu o papel do padre: "Você fez bem ao vir, irmão. Peço seu perdão, irmão, pois você enfrentou muitas dificuldades por minha causa. Que o Senhor lhe pague". Então cozinhou, comeu, bebeu bastante e imediatamente a luta parou[23].

A necessidade de atenção e reconhecimento, ou o desejo de amizade não pode ser recalcado. Mas também não adianta transformar sua necessidade em exigência, em um direito a ser reivindicado. Alguns membros de ordens acreditam que uma amizade com um homem ou uma mulher é imprescindível para seu equilíbrio emocional. Quando esse desejo não é satisfeito, eles não admitem o anseio e a dor, mas se

---

23 *Les sentences, nouveau recueil*. Op. cit., n. 443.

escondem por trás de sua reivindicação, alegando que essa amizade faz parte de uma vida espiritual intensa. Aceitar um pensamento, um desejo, uma necessidade significa entregar-se inteiramente a ele. E isso pode ser feito, por exemplo, realizando aquele desejo como o fez aquele padre por meio de um teatrinho. O importante é que, assim, o pensamento se acalma. Outro episódio relata como o Abba Olympios permitiu que seu desejo de estar com uma mulher se aproximasse dele e assim encontrou a sua paz:

> O Abba Olympios de Kellion foi tentado por pensamentos impuros. Seu pensamento lhe disse: "Vá e procure uma mulher!" Então, ele se levantou, preparou a argila e formou uma mulher, dizendo a si mesmo: "Veja, esta é a sua mulher; agora, trabalhe muito para alimentá-la". E ele trabalhou com grande esforço. No dia seguinte, preparou a argila e formou uma filha, dizendo a si mesmo: "Sua mulher pariu! Agora, você precisa trabalhar ainda mais para alimentar e vestir sua filha". Assim trabalhou até a exaustão e disse a si mesmo: "Não suporto mais esse trabalho!" E disse a si mesmo: Se você não consegue suportar o esforço, então pare de desejar uma mulher". Deus viu seu esforço e retirou dele a sua luta, e ele encontrou a paz (Apo 572).

Esse apotegma mostra como os monges lidavam sem medo com suas necessidades, como eles as apresentavam a Deus e assim conseguiam se reconciliar com elas. O Abba Olympios não rejeita seu desejo de ter mulher e filhos. Ele permite que o desejo entre em seu corpo, em suas mãos, que formam uma mulher de argila. Assim, seu desejo se torna palpável. A forma como então ele se convence de que é incapaz de realizar seu desejo porque precisaria trabalhar demais pode parecer simples demais para nós. Mas o que importa é a ausência de medo ao lidar com seus desejos e necessidades. Eles não são recalcados, mas aceitos. Ele inicia um diálogo com eles e os incorpora até encontrarem a paz.

Poimen nos dá ainda outro conselho. A um irmão que se envergonhava de revelar seus pensamentos blasfemos, ele disse:

> Não se preocupe, filho! Quando o pensamento surgir, pense assim: Nada tenho a ver com isso, sua blasfêmia se volte contra você, satanás! Pois minha alma não deseja isso. E tudo que a alma não deseja é passageiro. Então o irmão se curou (Apo 667).

Apesar de o pensamento estar dentro dele, ele se distancia dele. Ele não se apropria dele, ele não se responsabiliza por ele, de forma que não precisa se julgar por causa dele. Ele o vê como algo estranho, insuflado por satanás, com o qual ele não quer se envolver. A noção segundo a qual o pensamento ruim provém dos demônios ajuda ao monge distanciar-se dele e a lidar com ele como se fosse um inimigo externo. Isso o liberta das autoacusações que muitos fazem quando descobrem um pensamento ruim em si mesmos. A transformação do pensamento em um adversário estranho, do qual podemos nos distanciar, ou em inspiração de um demônio, que podemos refutar, pode ajudar sobretudo em casos de pensamentos depressivos. Assim, um jovem que não conseguia lidar com seus pensamentos depressivos aprendeu a conviver com eles, dizendo: Eu nada tenho a ver com isso, não vou lhes dar atenção.

O apotegma alude ainda a outro método de lidar com seus pensamentos: devemos confidenciar nossos pensamentos a um pai espiritual. Assim, tiramos-lhes seu poder. Outra sabedoria dos Padres descreve esse efeito:

> Quando você é atormentado por pensamentos impuros, não os esconda, antes os revele imediatamente ao seu pai espiritual e destrua-os. Pois na mesma medida em que ocultamos nossos pensamentos, eles se multiplicam e se fortalecem. Como uma serpente que sai de seu esconderijo e foge, o pensamento desaparece imediatamente assim que ele é revelado. E como o cupim destrói a madeira, assim o pensamento negativo destrói o coração. Aquele que revelar seus pensamentos é curado imediatamente, mas aquele que os oculta adoece de orgulho[24].

Aquilo que a psicologia recomenda como impedimento de pensamentos já pode ser encontrado nos Padres Monásticos. Abba Poimen aconselha:

> Quando lhe vier um pensamento referente à necessidade de seus desejos físicos e você o resolveu, e quando ele vier uma segunda vez e você o resolve novamente, e quando ele vier uma terceira vez, não lhe dê atenção, pois é um pensamento infértil (Apo 614).

> Um irmão perguntou a um velho: "Por que os pensamentos me oprimem? Muitas vezes eu os repreendo, mas eles não se distanciam e permanecem". O velho respondeu: "Se você

---

24 Ibid., n. 592/50.

não gritar energicamente: 'Sumam daqui!', eles não irão embora. Pois enquanto você os deixar em paz, eles ficarão onde estão"[25].

Muitas vezes, a única solução é barrar os pensamentos e não se ocupar mais com eles. Um irmão fez essa experiência com um jovem que sempre voltava a lhe pedir um conselho. Após o fim de uma amizade, ele foi inundado de autocompaixão e pensamentos depressivos. Então, ele mesmo teve a ideia de, toda vez que esses pensamentos o atordoavam e ameaçavam dominá-lo, dizer-lhes em voz alta: "Em nome de São Jorge: Saiam!" Isso ajudou. Antes disso, ele passava noites em claro com seus pensamentos. Quando deu essa ordem pela primeira vez, ele ligou para o meu irmão no dia seguinte e disse: "Consegui dormir 12 horas nesta noite". E esse método continuou a ajudar-lhe em sua luta contra a depressão.

A psicologia comportamental desenvolveu um método semelhante para obsessões: o *Gedankenstop* (literalmente "parada de pensamentos"). Assim que surge uma obsessão, isso deve ser informado ao terapeuta, que então ordena ao paciente: "Chega!" Com o passar do tempo, o próprio paciente aprende a se dar essa ordem para assim parar e barrar o pensamento[26]. Esse método deve ser aplicado sempre que o pensamento não leva a nada, quando não é possível identificar nele qualquer necessidade ou ansiedade que ajude a escla-

---

25 Ibid., n. 453.
26 SÜLLWOLD, L. *Verhaltenstherapie an Hand von klinischen Fällen*: Psychologie des 20. Jahrhunderts. Vol. IV, p. 744s.

recer algo sobre o paciente, quando o pensamento se apresenta como obsessivo e infrutífero. Nesses casos, é melhor manter o pensamento longe de si, cortá-lo, expulsá-lo de si mesmo e não se ocupar com ele.

Já expomos em outro lugar como a oração pode ser uma ajuda para lidar com pensamentos negativos[27]. Aqui, quero mencionar apenas alguns métodos sugeridos pelos monges para reagir a pensamentos e afirmações negativas. O método certo para mim mesmo depende da situação e da minha disposição. Precisamos da *discretio*, do dom do discernimento, para descobrir o caminho certo para nós mesmos. Na maioria das vezes precisamos também da correção de um pai espiritual que sabe reconhecer o método adequado em determinado momento. Talvez eu precise primeiro voltar minha atenção para os pensamentos negativos, explorá-los, investigar os desejos e as necessidades que neles se escondem, descobrir a energia contida neles ou iniciar um diálogo com meus pensamentos, redirecioná-los e assim acalmá-los. Talvez, porém, seja necessário que eu os impeça desde o início, que não permita que eles entrem em meu coração, porque são infrutíferos. E talvez o caminho antirrético seja o melhor caminho para mim. Através de afirmações positivas, eu crio em mim uma postura fundamental positiva, uma postura de fé, a partir da qual eu reajo a tudo que me acontece.

---

27 GRÜN, A. *Gebet uns Selbsterkenntnis*. Münsterschwarzach, 1979.

6
Crer
Fazer de conta

O método antirrético tem como pano de fundo uma concepção de fé bem específica. Para os monges antigos, a fé não é tanto um acreditar na veracidade de dogmas e proposições de fé, mas, acima de tudo, um "fazer de conta". O que isso significa? Quando os monges recitam inúmeras vezes uma palavra da Escritura, eles acreditam que essa palavra seja a Palavra de Deus, que ela descreve a realidade com precisão e que ela efetua aquilo que descreve. Quando dizemos em meio a pensamentos depressivos: "Quem está em Cristo é criatura nova. O que é velho passou, e um mundo novo nasceu" (2Cor 5,17; Evágrio, tristeza, 73), acreditamos que realmente somos criatura nova em Cristo. Ainda não o sentimos, não o sabemos com certeza – confiamos e esperamos que seja verdade. E, nessa confiança, fazemos de conta como se fosse verdade.

Ou quando recitamos a palavra de Jesus: "Levanta-te, toma a tua maca e vai" (Mc 2,11), não podemos insistir e martelar a palavra em nossa mente até sentirmos que nos livramos da nossa paralisia. Recitar a palavra significa confiar que ela é verdade e simplesmente fazer de conta como se fosse verdade, ou seja, simplesmente levantar e sair de si mesmo. O paralítico, ao ouvir a palavra de Jesus, não esperou até sentir dentro de si a liberdade da paralisia; ele simplesmente levantou, fez de conta que as palavras de Jesus diziam a verdade, e ao levantar-se, ao fazer de conta, ele experimentou que sua cura era verdadeira. Muitas vezes, nós também nos sentimos bloqueados, paralisados de expectativas exageradas, de medos, daquilo que os outros poderiam pensar de nós. Não adianta recitarmos a palavra de Jesus o tempo todo. Precisamos também agir de acordo. Não podemos esperar até sentirmos dentro de nós a força, até sabermos com certeza que a cura ocorreu. Devemos simplesmente agir conforme aquilo que a palavra nos diz.

A autopersuasão por meio de palavras da Escritura não é uma técnica barata que nos permite obter o que desejamos. Faz parte desse método a fé como um "fazer de conta", a coragem de agir conforme a palavra. O agir é o experimento que comprova a veracidade da hipótese da fé. Muitas vezes desejamos ter as provas antes do experimento do nosso agir. Queremos sentir dentro de nós que realmente fomos curados, que o Senhor está conosco, que realmente somos nova criatura. Queremos experimentar o Espírito de Deus dentro de nós e agir apenas após essa experiência. Mas essa postura impede a cura. Temerosos, agarramo-nos a nós mesmos. Queremos nos salvar por meio da Palavra de Deus e curar a nós mesmos, e apenas então estamos dispostos a nos apresentar como pessoas curadas, como pessoas sem fraquezas. Mas isso é incredulidade. Acreditamos apenas naquilo que sentimos, naquilo que experimentamos. Assim, barramos experiências novas, assim impedimos a verdadeira experiência da fé. A experiência da fé só pode ser vivenciada por aquele que salta antes de saber, que faz de conta que aquilo é verdade antes de sabê-lo com certeza. A fé precisa de experiências. Caso contrário, ele desvanece. Mas as experiências só podem ser feitas no experimento do agir. A veracidade de uma hipótese científica se revela apenas por meio do experimento controlado. O experimento confirma ou refuta a hipótese que eu desenvolvi com minha razão. A hipótese da fé funciona de forma semelhante. A precondição da experiência é a palavra que eu digo a mim mesmo. A experiência em si, porém, é o agir que me mostra se a palavra é verdadeira.

Talvez essa formulação provoque alguma resistência: Fé é um fazer de conta. Alguns talvez pensem que não podemos viver apenas de ilusões, que precisamos das certezas da fé. Mas se nos observarmos com sinceridade, precisamos admitir que vivemos constantemente de ilusões. Nossas afirmações negativas também são ilusões. Quando dizemos a nós mesmos: "Isso é difícil demais para mim, eu jamais conseguirei fazer isso", nós nos dizemos que essa tarefa realmente é difícil demais para nós. Mas isso não quer dizer que ela realmente seja difícil demais. Mas nós fazemos de conta como se ela realmente fosse difícil demais. E, de certa forma, essa ilusão realmente transforma a tarefa em algo insuperável. A ilusão negativa provoca em nós algo negativo. Quando dizemos o tempo todo a nós mesmos que algo dará errado, a probabilidade de algo dar errado se torna grande. Nossa ilusão provocou o efeito negativo.

Vivemos o tempo todo de ilusões. A pergunta é: Queremos viver de ilusões que nos impedem de viver a realidade ou de ilusões que interpretam a realidade como ela é? A ilusão da fé nos apresenta a realidade como ela é, como ela é aos olhos de Deus. Portanto, se vivermos de acordo com as ilusões da fé, vivemos de acordo com a realidade e, portanto, de forma saudável. Por isso, não é qualquer ilusão que devemos nutrir. A realidade demonstrará se a nossa ilusão é correta ou não. No entanto, a realidade pode ser ambígua. Ela sempre apresenta vários lados. A afirmação negativa me leva a vê-la através de lentes negativas. Aquilo que vejo é real. Mas é apenas um recorte, uma seleção negativa. Quando vejo a realidade através das lentes da fé, eu a reconheço em toda sua plenitude, eu a vejo como Deus a vê e, portanto, de forma correta.

Evidentemente podemos usar a fé para nos convencer de algo que não é verdade ou que não nos aproxima de Deus. Existem também afirmações fantásticas na base de provérbios. Paulo menciona um critério que nos ajuda a reconhecer se estamos lidando com uma afirmação inventada por nós mesmos ou com uma afirmação da fé: trata-se do critério da alegria e do amor, da tranquilidade e da paciência, da paz, da bondade, da gentileza e da lealdade (cf. Gl 5,22). E para os monges, uma característica essencial da fé autêntica é o não julgar, a fé na essência boa em cada ser humano. Quando as afirmações levam alguém ao fanatismo, a se queixar dos outros e a julgá-los, isso é sempre um sinal de que ele não se abriu para a Palavra de Deus. Pelo contrário, ele está usando suas próprias palavras para manipular a realidade, mesmo quando as disfarça como palavras da Escritura. Outro critério é se eu permito que meus pensamentos negativos se aproximem de mim ou se eu os recalco, identificando-me apressadamente com a Palavra de Deus, fazendo de conta que nada é um problema para mim. Para não ser levado para o caminho errado pelas minhas afirmações, preciso de uma orientação espiritual. O pai espiritual reconhece rapidamente se estou usando as passagens da Bíblia apenas para realizar os meus desejos, se recorro à ajuda de Deus apenas para me fortalecer e me livrar de todos os meus complexos e fraquezas – que me irritam porque me apresentam numa luz negativa –, ou se pretendo usar a meditação sobre as palavras da Escritura para me exercitar no espírito da Escritura e me colocar na presença de Deus, para assim ser iluminado e curado por Ele.

A concepção da fé como um "fazer de conta" corresponde perfeitamente à compreensão da Escritura Sagrada; por exemplo, da Epístola aos Hebreus, que define a fé como perseverança naquilo que esperamos (Hb 11,1). Não o temos, não o sentimos, mesmo assim perseveramos nisso, agimos de acordo com isso na esperança de que seja verdade. Se interpretarmos a fé dessa forma, ela nos liberta da pressão de vivermos a fé como algo que sempre precisa ser sentido e experimentado. É claro que a fé precisa da experiência. Mas, às vezes, falam da experiência da fé de tal forma que aqueles que não a sentem passam a se sentir mal por causa disso e a acreditar que sua fé não seja verdadeira. Existe uma pressão de fazer determinadas experiências, que injeta em todos que não tiveram essas experiências um sentimento de inferioridade. A fé como um "fazer de conta" nos liberta dessa pressão. Não precisamos necessariamente sentir algo. Mesmo assim, podemos viver da fé; mesmo assim, podemos tentar viver como se ela fosse verdade. Ao agir podemos sentir que ela é verdade. Mas não precisamos sentir isso. É muito possível que, mesmo no agir, não sentimos o que a fé expressa. Vivemos então durante algum tempo fazendo de conta, na esperança de que a vida comprove a verdade do nosso agir e em algum momento nos permita sentir isso.

Muitos jovens dizem: Eu simplesmente não consigo crer, fé é graça, eu não a recebi, não posso fazer nada. Às vezes, isso parece ser uma desculpa para não se expor ao experimento da fé. Até mesmo aquele que não consegue crer, simplesmente porque nada sente, pode fazer o experimento. Ele pode simplesmente experimentar viver segundo as palavras de Jesus ou viver com a promessa: "Eu estou contigo". Não podemos forçar nada em nós por meio dessas palavras.

Mas se desistirmos do nosso desejo de possuir, se desistirmos de nossas resistências intelectuais e confiarmos nessa palavra, a confiança pode crescer dentro de nós de que Deus realmente está conosco, de que a palavra "Eu estou contigo" é mais verdadeira do que a afirmação negativa "Ninguém gosta de mim, sempre estou sozinho, ninguém se preocupa comigo"; mais verdadeira também do que o argumento da razão segundo o qual a existência de Deus não pode ser cientificamente comprovada.

A definição da Epístola aos Hebreus – "Fé é a perseverança naquilo que esperamos" – aponta ainda para outra direção. Devemos viver das promessas de Deus, perseverar naquilo que esperamos, fazer de conta de que tudo aquilo que Deus nos prometeu é verdadeiro. A fé vive da projeção positiva. Vemos o presente a partir do futuro de Deus. Vemos a nós mesmos a partir das possibilidades que Deus tem conosco. E assim não permanecemos fixados em nossas fraquezas e nossas feridas que o passado causou em nós. Não vivemos mais com base no passado, mas a partir do futuro, do futuro que Deus planejou para nós. Vivemos do fato de que, em Cristo, nos tornamos nova criatura, de que o Espírito de Deus reside em nós e de que o nosso passado pecaminoso foi resolvido. A psicanálise se orienta pelo passado, a fé se orienta pelo futuro. A psicanálise pretende transformar e curar o ser humano, iluminando seu passado; a fé nos transforma vivendo a partir do futuro. Deus como futuro já é presente em nós, seu Espírito está em nós, e nós vivemos do fato de que, em algum momento, seu Espírito nos permeará e transformará completamente.

Na fé vemos também os nossos próximos sob a perspectiva das possibilidades que Deus tem com essas pessoas. E vemos o mundo inteiro sob a perspectiva das promessas de Deus. A promessa de paz nos profetas deixa de ser uma expressão vazia – ela pode causar algo também em relação ao nosso desejo de paz. Estamos fixados demais no presente, na cegueira dos povos, na irracionalidade do armamento das nações. Permitimos que o sentimento de impotência nos leve a tomar iniciativas pela paz, mas que, em vez de avançá-la, a impedem ainda mais. Martin Luther King conseguiu realizar um pouco de paz entre os negros e os brancos, porque não estava obcecado com o presente: ele tinha um sonho, ele vivia a partir do futuro de Deus e perseverou naquilo que esperava. Não precisamos fazer tudo por conta própria, nem na nossa vida nem no nosso mundo. Devemos confiar nas promessas de Deus. Deus tem muito mais possibilidades conosco e com o nosso mundo do que conseguimos imaginar. E na Escritura Ele descreveu as suas possibilidades. Se fizermos de conta que suas promessas são verdadeiras, conseguimos viver numa liberdade maior. A limitação do presente não nos prende mais, em meio a essa limitação nos apercebemos de outra realidade e vivemos a partir dela, a partir da promessa de Deus que leva prisioneiros a cantar em suas celas e que promete paz e liberdade para o mundo[28]. Isso não

---

28 Cf. BOHREN, R. *Vom Heiligen Geist*. Munique, 1981, p. 29s.

é uma fuga da realidade para um idílio de promessas divinas, mas uma vida baseada na fé, que não deixa se enganar pelo mundo factual, mas que persevera naquilo que esperamos e que, por isso, está livre da pressão de ter que fazer tudo por conta própria.

A fé do "fazer de conta" nos liberta ainda de outra pressão: da pressão da consciência pesada. Algumas pessoas acreditam que, após terem levado uma vida espiritual durante muito tempo, elas precisam estar livres de qualquer coisa negativa, de pensamentos negativos, de dúvidas, de desejos e sentimentos maus e obscuros. Fé, porém, significa não fechar os olhos diante da minha própria realidade, diante dos meus medos e das minhas fraquezas, diante da minha escuridão. Tudo isso está dentro de mim e permanece dentro de mim, a despeito da minha fé. Em mim existem muitas coisas que não querem ter nada a ver com Deus. Existe dentro de mim a falta de vontade de rezar. Eu me agarro a muito que nada tem a ver com Deus. Posso admitir isso: Sim, isso existe dentro de mim. Mas ao mesmo tempo existe dentro de mim também aquela outra realidade: Cristo em mim. Ou como lemos em Ez 37,14: "Incuto em vós o meu Espírito para que revivais". Além desse aspecto que nega o espírito, o Espírito de Deus também está em nós. Não preciso expulsar primeiro as outras coisas para poder crer no Espírito de Deus. A pergunta é: Em quem confio mais? Quando recito a palavra do Profeta Ezequiel, transfiro o foco da minha atenção para o Espírito de Deus em mim. Em meio ao meu medo, à minha fraqueza, eu creio que o Espírito de Deus está em mim. E, a despeito da minha fraqueza, posso levantar e agir e viver como se o Espírito de Deus estivesse em mim. Não preciso impor uma fé que não aceita a realidade negativa dentro de mim e a proíbe (você não pode ser fraco, você precisa crer, você precisa ser forte em sua fé). Em meio ao meu vazio, à minha fraqueza, posso confiar no Espírito de Deus em mim. E assim a fé me leva à paz e tranquilidade. Ela me liberta da pressão de ter uma fé livre de medo e fraqueza. O medo continua dentro de mim. Mas ao lado do medo está também o Espírito de Deus, e posso confiar nele e ousar coisas que eu não ousaria sem Ele. Não importa se eu me dou bem ou não. Não importa se meu medo volta a se manifestar. O que importa é que eu dê espaço ao Espírito de Deus em mim confiando nele e vivendo e agindo como se Ele estivesse em mim.

As nossas afirmações positivas não são aleatórias, são Palavra de Deus; porque temos a premonição de que ela é verdadeira. Acreditamos, pelo menos em teoria, que a Palavra de Deus possui poder e pode curar a nossa vida. Por meio das afirmações positivas, queremos que essa fé teórica passe da cabeça para o coração. Por isso, essa compreensão da fé como um "fazer de conta" é perfeitamente racional. Não caímos na armadilha de um truque barato. Procuramos levar a Palavra de Deus a sério e a testar sua veracidade.

Numa discussão, quando alguém protestou contra essa concepção da fé, dizendo que não podíamos viver de ilusões, mas apenas da verdade, uma irmã refutou dizendo que, para ela, essa concepção da fé era libertadora. Disse que não vai à missa sempre porque está preenchida do espírito da oração ou porque deseja estar ali. Muitas vezes, ela faz de conta. Ela se entrega à oração sem sentir qualquer coisa, na esperança de que a oração, mesmo assim, cause algo dentro dela. A fé que "faz de conta" pode, no mínimo, livrar-nos de todas as autoacusações, que nos condenam dizendo que deveríamos estar pensando em Deus o tempo todo, que sempre deveríamos ir à missa com amor, que na fé deveríamos sempre conseguir lidar com todas as dificuldades, que jamais deveríamos estar de mau humor, e todas essas coisas que, muitas vezes, vinculamos à fé, mas que, no fim das contas, provém de uma postura do "Eu não sou OK" e que então projetamos sobre Deus.

Se simplesmente fizermos de conta que tudo aquilo que a fé nos diz é verdade, nós não ficamos remoendo o que deveríamos estar crendo; antes experimentamos e testamos a fé com todas as nossas dúvidas, com toda a nossa incredulidade e com toda a nossa falta de prazer. Sabemos que a fé jamais será algo que teremos seguramente em nossas mãos. O que nos resta é apenas testar a fé sempre de novo. E um caminho de experimentá-la é o caminho da afirmação positiva, um exercício que podemos praticar todos os dias. Permitimos que a Palavra de Deus aja dentro de nós. Abrimos espaço para ela na esperança de que ela nos transformará. Mas não ficamos aguardando impacientemente essa transformação, não nos assustamos com o antigo que permanece em nós. Basta fazer a experiência de que vale a pena fazer de conta. Não precisamos vencer primeiro todas as fraquezas. O novo da fé pode se manifestar em meio à nossa fraqueza. A força de Deus chega à perfeição na nossa fraqueza, diz Paulo (2Cor 12,9). Em meio à nossa fraqueza, em meio ao nosso vazio e estarrecimento está também o Espírito de Deus, que nos vivifica. A fé se manifesta em meio à nossa descrença, em meio às nossas dúvidas. Essa é uma forma muito cotidiana de fé, mas uma forma capaz de transformar e curar o nosso dia a dia.

Conecte-se conosco:

f facebook.com/editoravozes

[◎] @editoravozes

[✗] @editora_vozes

[▶] youtube.com/editoravozes

[◯] +55 24 2233-9033

www.vozes.com.br

Conheça nossas lojas:

www.livrariavozes.com.br

Belo Horizonte – Brasília – Campinas – Cuiabá – Curitiba
Fortaleza – Juiz de Fora – Petrópolis – Recife – São Paulo

EDITORA VOZES LTDA.
Rua Frei Luís, 100 – Centro – Cep 25689-900 – Petrópolis, RJ
Tel.: (24) 2233-9000 – E-mail: vendas@vozes.com.br